U0106499

中國歷史關鍵詞 500+

中國社會科學院
歷史研究所編寫組

 編著

責任編輯 ── 劉汝沁

書籍設計 ── 曦成製本

排版 ── 陳先英

書名 ── 中國歷史關鍵詞 500+

編著 ── 中國社會科學院歷史研究所編寫組

出版 ── 三聯書店（香港）有限公司
香港北角英皇道 499 號北角工業大廈 20 樓
Joint Publishing (H.K.) Co. Ltd.
20/F., North Point Industrial Building,
499 King's Road, North Point, Hong Kong

香港發行 ── 香港聯合書刊物流有限公司
香港新界大埔汀麗路 36 號 3 字樓

印刷 ── 美雅印刷製本有限公司
香港九龍觀塘榮業街 6 號 4 樓 A 室

版次 ── 2018 年 6 月香港第一版第一次印刷

規格 ── 16 開（160 x 260mm）176 面

國際書號 ── ISBN 978-962-04-4284-1
© 2018 Joint Publishing (H.K.) Co. Ltd.
Published & Printed in Hong Kong

歷史的長河・文明的景觀
—— 一本極具可讀性的知識手冊

香港浸會大學歷史系教授
周佳榮

中國是一個文明悠久的東方大國,有豐富的歷史經驗;中國又是一個具有凝聚力的多民族國家,有深厚的文化底蘊。藉着中國歷史文化知識,可以領略不同時代積累下來的智慧,可以激發對國家的關懷愛護,提升民族的自信心與自豪感,是人文教育不可或缺的重要組成部分。

現代社會有很多查閱知識的便捷途徑,但人們反而忽略了什麼才是最基本和最重要的,如何有條理地、系統地提供所需知識,是專家學者肩負的任務。有鑒於此,中國社會科學院歷史研究所撰寫了一本《簡明中國歷史讀本》,又精選五百多個詞條,珠聯成書。兩相比較,後者的篇幅減少了,知識點則更為集中,而且可讀性很強。

筆者認為,如果先從本書入手,然後看《讀本》,以點帶面,由簡易至詳細,對中國歷史的掌握,相信較為透徹明瞭。讀者在研習中國歷史時,常備本書於案頭,時加檢索查考,肯定可收事半功倍的效果。

本書相當於閱讀要覽,既是用來翻檢的工具書,同時可供連接式閱讀之用,一舉兩得。關鍵詞的編排不同於歷史辭典,例如按部首或筆畫次序之類,詞條與詞條之間互不相連,無從一氣呵成地逐條閱讀。本書的詞條大致按朝代和時間排列,相關詞條又放在一起,例如秦漢時期,可以由「皇帝」而「謚法」而「廟號」,亦可由「大篆」而「小篆」而「隸書」,一條接着一條讀下去;讀了隋唐時期的四十六個詞條,這兩個朝代的政治和社會、史事與人物都大致掌握了。

應予指出,每個詞條之下,敘述首尾兼顧,要點俱備,有時還略加總括或評述。例如一條「絲綢之路」,僅二百五十字,就說出了絲路的由來和重要性,強調「通過絲綢之路,古代亞歐國家和人民互通有無,友好來往」。介紹《史記》,指出其「內容涉及社會各方面,不虛美,不隱惡,不受正統思想的束縛,真實、生動地再現了兩千五六百年的歷史」。

在歷史舞台上，有各式各樣的人物，透過歷史人物的生平，可以加深對史事變化的認識。本書盡量兼顧不同領域的代表人物，有的以「群組」形式介紹，例如「竹林七賢」條，就分別記述了魏晉之際七個名士的事跡；「揚州八怪」條列舉「八怪」姓名，又指出「八」不一定是實數，而是「清中葉揚州畫壇出現的一個畫派，他們的畫風和正統派形成鮮明對比」。

人物詞條都置於每個時代的事項後面，例如明代包括鄭和、于謙、王陽明、李時珍、張居正、施耐庵、羅貫中、吳承恩、李贄、湯顯祖等，有來華的耶穌會教士利瑪竇、湯若望，也有東渡日本的朱舜水。清代後期和近代人物，有林則徐、龔自珍、魏源、曾國藩、左宗棠、洪秀全、李鴻章、慈禧太后、張之洞、嚴復、康有為、袁世凱、黎元洪、孫中山、梁啟超、黃興十六人。

本書的內容以中國歷史名詞為主，書末附參考書目和索引，一書在手，一目了然，讀者可在極速時間內掌握重要知識內容，比上網檢索所得的說明更勝一籌。

筆者認為本書中有兩處不容錯過：（一）首列「歷史理論範疇」，從「原始社會」到「資本主義萌芽」，介紹了人類社會形態和經濟進程。（二）接着的「考古學文化與古史傳說時代」，以考古學發現印證中國古史傳說，四十個詞條，敘述了古人類化石、文化遺存、神話傳說和歷史記載各個方面。

1911 年爆發的辛亥革命，推翻了清朝，也結束了中國兩千多年的封建專制主義中央集權政體。本書依夏商周、秦漢、魏晉南北朝、隋唐、五代十國遼宋西夏金、元、明、清八個時期，介紹重要史事、制度、民族與對外關係、歷史地理、科學思想文化以及著作、人物等，羅列歷代發揮的積極作用，呈現華夏文明數千載之演進。「述往事，思來者」，歷史有殷鑒作用，促使時代不斷進步，歷史知識對年輕一代來說，是非常重要的。這本《中國歷史關鍵詞 500+》，各級學生和廣大讀者均不容錯過，從中肯定可以獲益良多，筆者謹以此序向大家鄭重推薦。

編寫說明

　　一、本書以中國社會科學院歷史研究所所編《簡明中國歷史讀本》知識體系為框架，收錄相關基本歷史知識，為讀者提供一本簡明扼要的中國歷史知識關鍵詞手冊。

　　二、本書包括 523 個中國歷史名詞，其歷史知識涵蓋範圍包括基本歷史理論範疇與自人類起源至清朝滅亡的中國歷史。

　　三、本書突出簡明扼要特點，以通俗易懂的語言概述中國歷史基本知識。關鍵詞以朝代名、國名、政治事件、政治制度、經濟制度、法律制度、軍事制度、民族與對外關係、歷史地理、科技思想文化、書名、人名為基本排列順序。其中朝代名、國名、政治事件比較多的，又按時間排列；書名按經史子集順序排列；人名按生年順序排列，生年不詳的用卒年排列，生卒年都不詳的，按其主要活動時間和領域與相關人物排列在一起；書末附有按筆畫順序排列的名詞索引，以方便讀者查閱。

　　四、因本書受編纂結構和篇幅限制，所收內容體系尚不完整，詞目取捨詳略或有不當，祈請讀者鑒諒並惠予指正。

中國社會科學院歷史研究所編寫組

執筆 （姓名按執筆正文先後為序）

卜憲群　王震中　曲英傑　楊振紅

梁滿倉　黃正建　梁建國　關樹東

陳時龍　吳伯婭　朱昌榮　王　藝

定稿 卜憲群　童　超

目錄

歷史理論範疇

一 原始社會

　　人類最早的社會形態，又稱原始共產主義社會。中國的原始社會開端距今約 200 萬年。期間，社會組織經歷了從原始群到氏族公社（母系氏族公社和父系氏族公社）的演進；考古學文化分期上經歷了從舊石器時代到新石器時代的更替。中國原始社會結束的時間有夏代說、商代說、龍山文化時代說等不同意見。原始社會人人平等，共享勞動成果，但生產力極其低下。

一 奴隸社會

　　原始社會瓦解後出現的，以奴隸主階級佔有生產資料和完全佔有社會生產主要承擔者奴隸為基礎的社會形態。奴隸在奴隸主的監督下生產勞動，沒有人身自由；為維護統治，奴隸主階級建立起相應的上層建築和意識形態。奴隸主和奴隸是奴隸社會根本對立的兩大階級。奴隸社會較原始社會有了巨大進步，但生產力仍然落後。人類歷史上許多國家都經歷過奴隸社會階段，但具體形態各國各地區又有區別。夏商西周是中國奴隸社會形成、發展並走向鼎盛的時期，其形態屬於古代東方類型。奴隸社會中也有與貴族相對立的自由民存在。

一 封建社會

　　繼奴隸社會之後出現的，以封建地主階級佔有絕大多數土地等基本生產資料，剝削佔有農民（或農奴）剩餘勞動價值為基礎的社會形態。地主和農民是封建社會兩大基本對立的階級。人身依附和超經濟強制廣泛存在於封建社會各時期。一般認為中國封建社會開始於戰國，延續兩千多年，但關於中國封建社會的開端時間也有多種看法。專制主義和統一的中央集權、等級制、官僚制、地主土地私

有制、租佃制、男耕女織的小農經濟、自然經濟、儒家意識形態、規模宏大的農民起義，都是中國封建社會的顯著特徵。封建社會在各國各地區的具體形態有區別。

一
半殖民地
半封建社會

1840 年鴉片戰爭後至 1949 年新中國成立前中國社會性質的基本概括。這一時期，國家雖然表面上獨立，但卻在列強的入侵與控制下，喪失政治、經濟、軍事上的許多主權地位，淪為依附列強的半殖民地；外來的資本主義，破壞了原有的封建自然經濟結構，開始了近代社會的轉型，但封建剝削制度依然存在。在這一社會形態下，中國的政治、經濟與社會陷於畸形，發展極不平衡。帝國主義和中華民族的矛盾、封建主義和人民大眾的矛盾是這一時期的主要矛盾，而前者是最主要的矛盾。

一
母系氏族公社

人類最早的社會組織形態。約出現在舊石器時代晚期。以母系的血緣關係而結成社會基本單位，實行族外婚。古文獻中「知其母，不知其父」的記載，即反映了中國母系氏族公社的狀況。婦女在公社的生產和生活中佔據支配地位，氏族成員推舉年齡長、能力強、富有威信和經驗者擔任首領。公社內部共同勞動，人人平等，過着原始共產制生活。

一
父系氏族公社

繼母系氏族公社之後的人類社會組織形態。約出現在新石器時代晚期。父系氏族公社階段，由於社會經濟的發展，男子在家族內部的地位上升，在生產和生活中佔據支配地位。婚姻形態由男子入居女方改為女從夫居。父權取代母權，財產按父系繼承。私有制和私有觀念萌發，貧富分化帶來了公社內部各家族的不平等。人類進入了文明社會的前夜。

一
家族公社

由同一祖先傳承下來的，以血緣近親關係而結成的社會組織和經濟生產共同體。其特點「一是把非自由人包括在家庭以內，一是父權」。關於家族公社，學術界有不同

看法：一是認為產生於氏族社會向階級社會的過渡階段；一是認為廣泛存在於母系和父系氏族社會。中國古代國家產生過程中，血緣組織沒有被徹底打破，在宗法制下，家族公社以家族和宗族的形式長期保持在商周社會並影響至封建社會。

農村公社

原始社會解體後，因地域關係而形成的社會組織和經濟生產共同體。農村公社以地域劃分居民。中國商周時期的邑、里、書社，均是地域共同體，其居民並不都有血緣關係。與家族公社相似，農村公社的土地所有制也具有公、私二重性。所謂「公」，即奴隸主國家所有制，表現為奴隸主的世襲佔有；所謂「私」，即公社農民使用的份地，表現為公社內部的定期重新分配，私有制還不充分。家族公社和農村公社在商周時期長期並存，但後者逐漸取代前者。

階級

指在社會關係體系中，由於人們對生產資料的佔有關係不同以及由此所形成的社會經濟地位與利益訴求的不同，而分成的穩定性集團。如奴隸社會的奴隸主階級和奴隸階級，封建社會的地主階級和農民階級，資本主義社會的資產階級和工人階級等。奴隸主階級、地主階級、資產階級屬於剝削階級、統治階級，奴隸階級、農民階級、工人階級屬於被剝削階級、被統治階級。

階層

指在同一階級中，由於人們的經濟地位與社會地位不同而分成的層次。如秦漢時期地主階級中的軍功地主階層、豪強地主階層，魏晉南北朝地主階級中的士族地主階層、庶族地主階層，明清地主階級中的縉紳地主階層、庶民地主階層等等。

等級

指在古代階級社會中，統治階級以行政或法律手段將人們劃分成社會地位與權利享有不平等的群體。如西周或以社會地位差別將人們分成十個等級，規定「王臣公，公

臣大夫，大夫臣士，士臣皂，皂臣輿，輿臣隸，隸臣僚，僚臣僕，僕臣台」（《左傳》昭公七年），上下等級之間為統屬關係；或以居住地域將人們分成「國人」與「野人」，二者享有的權利極不平等。魏晉南北朝強調「以貴役賤，士庶之科，較然有別」（《宋書·恩倖傳》）。士族對庶族實行嚴厲的等級歧視，庶族不能擔任清要顯職及品秩高的官，不能與士族通婚，甚至不能交往。有的學者將中國古代地主區分為身份性地主與非身份性地主，「身份」即等級的基本標誌。

一 階級鬥爭

指階級社會中，剝削階級與被剝削階級、統治階級與被統治階級之間的對立與鬥爭。階級鬥爭包括經濟鬥爭、政治鬥爭以及思想文化鬥爭等不同形式與發展階段。中國古代階級鬥爭主要表現為農民階級反抗地主階級尤其是封建國家的武裝鬥爭，即農民起義、農民戰爭，其次數之多、規模之大在世界歷史上是罕見的，具有推動中國歷史前進的積極作用。

一 複合制 國家結構

國家結構指國家整體與部分、中央與地方的組成關係，屬於國家政治制度的一部分。複合制國家結構的本義，是指由若干獨立主權國家因某種需要或因某種客觀情況而組成的鬆散性國家聯盟。夏商西周時期，其複合制國家結構具有古代東方社會的歷史特點：無論是臣服的屬邦還是受封的諸侯國，作為方國既享有相對獨立的政治權力，又必須尊重中央王朝的權威，遵守其禮制，並履行朝覲、納貢及出兵戍守或征伐的義務，呈現出以中央王朝為「天下共主」的格局。

一 單一制 國家結構

指國家是一個統一的整體，地方權力來源於中央，地方沒有獨立的主權，只能行使中央授予與規定的治權。秦漢以後，「海內為郡縣，法令由一統」，主要實行郡縣制管理，其國家結構為單一制。

一 分封制

古代國家實行裂土分封管理的一種政治模式。中國古代分封制始於西周，與宗法制度互為表裏。受封諸侯享有封地內的經濟權與治民權，周天子一般不能干預。各級官吏職務儘管不一定完全世襲，但基本在貴族血緣關係的範圍內選用，不需要有特殊的功勞、技能，職位也基本上是終生的。在這種政體中，君權是有限的，各諸侯國與中央是一種鬆散的政治聯盟。春秋戰國時期分封制瓦解，秦漢以後分封制在歷代仍有存在，除個別時期外，受封者主要是享有封地內的「衣食租稅」，而非治民權。

一 專制主義

一種政體，指稱與民主政體相對立的政權組織形式。專制主義政體裏國家最高權力集中於一個或少數幾個人手中，實行獨裁統治。中國古代專制主義萌芽於先秦，形成於秦漢，貫穿整個封建社會。其特徵是皇權世襲，權力不受約束；宣揚君權神授；皇權擁有官吏的任免權和事務處理的最高獨斷權；實行思想文化專制。專制主義作為一種政體，在東西方歷史上都出現過。

一 中央集權

指中央和地方的關係，與地方分權相對立。在中央集權制度下，地方的政治、經濟、軍事等權力受中央嚴格管理和制約，很少有自治的空間。由中央委派官吏或主要官吏代表中央實施管理。中國古代中央集權萌芽於先秦，形成於秦漢，儘管此後各時期強弱程度不同，但基本貫穿整個封建社會。中國歷史上的中央集權對統一多民族國家的形成與發展有着積極作用。

一 官僚制

指以職位、職能分層分配權力的一種行政組織和管理方式，也稱科層制。係德國社會學家馬克斯·韋伯（Max Weber）提出的概念。這種行政管理方式在古代歷史上許多國家出現過，其中以中國古代官僚制實行時間最為長久，從戰國延續至清。古代官僚制與貴族分封制相對立，實行集權式的政治統治，主要官吏直接受權於君主，沒有獨立於君主之外的權威；整個統治機構具有等級隸屬，職

責明確，分工細密，法治化的基本特點；官吏選拔主要不是依靠身份和血統，而是憑藉技能和才幹，職務不世襲；官吏依功次、年次等客觀依據而晉升，領取俸祿；整個官僚體系內部形成了一套考核、控制和監督機制。官僚的行政管理控制着全社會。各種詔書、律、令、條品的頒佈，行政文書的運轉使官僚制度發揮功能。

封建國家土地所有制

封建土地所有制的一種形式。指封建國家直接佔有生產資料土地，剝削生產者的土地所有制形態。中國封建國家土地所有制繼承商周奴隸制國家土地所有制而來，從規模和數量上來看，在各個歷史時期表現不一。大亂之後或王朝更迭，都會使國有土地驟增。從目前資料看，至少在秦漢時期，國家仍掌有大量國有土地並干預土地分配；或者採取屯田、假民公田、賦民公田等方式經營。但一般來說，封建國家只是作為主權者而非土地所有者的身份同直接生產者對立。在私有制日益發展的狀況下，中國封建國家土地所有制在社會經濟生活中不佔主要地位。也有學者認為封建土地國有制在中國封建社會全程或其前期佔主要地位。

封建地主土地所有制

封建土地所有制形態之一。指封建地主私人佔有土地並對農民進行剝削的土地制度。約起源於戰國，形成於秦漢。特點是土地自由買賣合法化，採取租佃制的經營方式與分成制或定額制的地租剝削方式，土地遺產諸子均分而非長子繼承，地主對農民人身有超經濟強制存在但沒有司法和行政權力等。封建地主土地所有制係剝削者的私有制，是決定中國封建社會性質與上層建築形態的經濟基礎。

自耕農小土地所有制

指以一家一戶的自耕農佔有、經營土地的一種所有制形式。這是勞動者的私有制。中國自耕農小土地所有制起源於戰國時期，廣泛存在於整個封建社會。自耕農小土地所有制在一定歷史時期佔有數量上的優勢，是封建國家的重要經濟來源，但不決定中國封建社會經濟形態的性質。

封建國家的賦稅徭役負擔、土地兼併、天災人禍以及政治壓迫，都能使自耕農經濟頻頻破產，成為引發農民起義的導火索。

租佃制

封建地主土地所有制或封建國有土地所有制的一種經營方式。指地主或國家將土地出租給農民耕作，榨取剩餘價值，獲取產品地租的一種封建剝削生產關係。自戰國延續至明清，但在各個歷史時期形態不一。租佃制的廣泛性，與中國封建社會的地產買賣普遍有很大關係。在租佃制下，地主榨取地租採用分成制、定額制幾種形式。唐宋以後，契約型租佃關係出現並發展，還出現了永佃制，其超經濟強制和人身依附關係較蔭附型佃農有所鬆弛，但依然存在。

永佃制

中國封建社會後期部分地區出現的一種土地經營方式，由租佃制發展演變而來。指佃農永久性地租佃地主土地。永佃制的出現是土地所有權（又稱田底權）和耕作權（又稱田面權）分離的產物。典型的永佃制下，地主只能收取地租，不能隨意增租奪佃；擁有永佃權的佃農，不僅可以長期經營「田面」，還可以向其他佃農轉租，較其他佃農有更多的人身自由和生活保障。但這並不改變封建地主土地所有制的性質。

自然經濟

自給自足的經濟。自然經濟是社會生產力水平低下和社會分工不發達的產物。商品交換不發達，其生產只是為了直接滿足生產者個人或經濟單位的需要。

商品經濟

商品生產、交換、出售的總和。商品經濟直接以交換為目的，最早產生於第二次社會分工即手工業從農業中分離時，在第三次社會大分工時出現了商品經濟的重要媒介 —— 商人。隨着商品經濟不斷發展，商品之間的交換主要由市場調配，這種由市場進行資源調配的商品經濟就是市場經濟。市場經濟是商品經濟發展的高級階段。

一
資本主義萌芽

指在封建社會內部產生的若干資本主義生產關係因素。一般認為，明代後期，在農業經濟作物種植領域，在部分地區部分行業中，封建人身束縛關係有所鬆弛，資本主義僱傭生產關係開始零星出現。雖然還是微弱的，尚不能改變整個社會的性質，但已具有萌動社會轉型的意義。19 世紀中期以後西方列強的入侵，加速了封建自然經濟的解體，但也破壞了中國內部原有資本主義萌芽的發展。如果沒有外來侵略，中國也將緩慢發展到資本主義。

考古學文化與古史傳說時代

一
考古學文化

考古發現中可供人們觀察到的屬於同一時代、分佈於共同地區，並且具有共同特徵的一群物質文化遺存。其以特定的組合關係相互區分，多以首次發現的典型遺址所在的小地名命名，如仰韶文化、龍山文化等；亦有以特徵遺物來命名者，如細石器文化、彩陶文化、黑陶文化等；或以族別來命名，如巴蜀文化等。至於歷史時期的商周文化、秦漢文化等，是指在特定時期在科技、藝術、教育、精神生活以及其他方面所達到的總成就，與具有特定意義的考古學文化不能等同。

一
舊石器時代

古人類物質文化的一個發展階段。考古學者指稱以人類開始出現、人類的體質具有原始特徵為標誌的時代。大致從二三百萬年開始至一萬年前為止。生產工具以打製石器為標誌，遺存與若干絕滅動物共存。舊石器時代一般又分為早期、中期、晚期，並與人類體質發展的直立人、早期智人、晚期智人三個階段相對應。舊石器時代在全世界分佈廣泛。中國的舊石器時代，其早期遺存有藍田人文化、北京人文化、觀音洞文化等；中期遺存有丁村文化等；晚期遺存有峙峪文化、山頂洞文化、小南海文化等。

一
臘瑪古猿
祿豐種

發現於中國雲南祿豐，生存年代距今約 800 萬年的一種臘瑪古猿。1931 年，美國學者在印度與巴基斯坦接壤的西瓦立克山區發現臘瑪古猿化石，隨後在肯尼亞、匈牙利、希臘和中國的雲南開遠小龍潭及祿豐等地也都有這種化石的發現，這是一種較接近於人的類人猿，有的學者認為牠是最早人類的祖先，其生存在距今 1500 萬年至 800

萬年。由於在中國雲南祿豐發現的這種古猿化石資料最為豐富，也最為重要，20世紀80年代以來，學術界將其重新定名為「臘瑪古猿祿豐種」或「祿豐古猿祿豐種」。

一 能人

一種體質特徵介於南方古猿和直立人之間的人科成員，也是迄今所知最早的能製造石器的人屬成員。能人化石是1960年在非洲東部坦桑尼亞的奧杜韋峽谷首次被發現的，其生存的時間約在250萬年前。1964年，肯尼亞考古、古人類學家利基（L. S. B. Leakey）將其定名為人屬能人種，意思是「能幹，手巧」。20世紀70年代初期在肯尼亞圖爾卡納湖畔發現編號為1470的東非能人化石，其生活的時代距今約200萬年。能人的體質特徵比南猿進步，但較其後的直立人原始。主要特徵是頭骨薄而呈穹窿形，眶後收縮程度小，前部齒相對較大，下頜骨外面增強。體骨的形態特徵與現代人非常相似，表明已能兩足直立行走。腦量平均值為646毫升，大於南猿而小於直立人的平均值。在奧杜韋峽谷的能人遺址中，能人化石與石器和動物遺骸共存，表明能人已能製作石器，並能獵獲羚羊等大小動物。

一 直立人

舊石器時代早期的人類，也稱為猿人。直立人大約生活在距今200萬至20萬年間。直立人能直立行走，也能製造工具。中國發現許多直立人化石，其中較重要的有發現於重慶巫山龍坪村龍骨坡的巫山人（距今約201萬年至204萬年），發現於雲南元謀上那蚌村的元謀人（距今約170萬年），發現於陝西藍田公王嶺和陳家窩兩地的藍田人（公王嶺藍田人距今約100萬年，陳家窩藍田人距今50餘萬年），發現於北京周口店的北京人（距今約70萬年），發現於河南南召杏花山的南召人（距今約50萬年），發現於山東沂源土門鎮九會村騎子鞍山的沂源人（距今約40萬年），發現於安徽和縣龍潭洞的和縣人（距今24萬年至28萬年），發現於遼寧營口金牛山洞穴的金牛山人（距今28萬年）等。

一
巫山人

中國發現的最早的直立人。以 1985 年在重慶巫山龍坪村龍骨坡發現的古人類化石命名。當時發掘出一塊猿人下頜骨和一枚上門齒，一同出土的還有兩件打製石器；此後，又進行過一些發掘，遺址中還出土了包括步氏巨猿、中國乳齒象、劍齒虎等 116 種早更新世初期的哺乳動物化石。經學者研究，龍骨坡遺址出土的「巫山人」代表了一種直立人的新亞種，後被定名為「直立人巫山亞種」（Homo erectus wushanensis），一般稱之為「巫山人」。巫山人生活在距今 200 萬年左右，屬於舊石器時代早期。

一
元謀人

以 1965 年 5 月中國地質科學院在雲南元謀上那蚌村附近發現的古人類化石命名的直立人。該遺址發現兩枚人類牙齒化石和一些粗糙的石器，以及大量炭屑、小塊燒骨、哺乳動物化石等。與元謀人共生的哺乳動物化石，有泥河灣劍齒虎、桑氏縞鬣狗、雲南馬、爪蹄獸、中國犀、山西軸鹿等 29 種，絕種動物幾乎佔 100%。依據古地磁等方法測定，元謀人距今 170 萬年。從元謀人遺址出土的炭屑和燒骨看，元謀人已知道用火。

一
北京人

中國華北地區舊石器時代早期的人類化石，屬於直立人。1921 年，瑞典地質和考古學家安特生（Johan Gunnar Andersson）和奧地利古生物學家丹斯基（Otto Zdansky）在北京周口店龍骨山發現北京人遺址 ——「周口店第一地點」。1921 年和 1923 年，先後發掘出兩顆人牙。1927年開始大規模系統發掘，由瑞典古脊椎動物學家布林（B. Bohlin）和中國地質學家李捷主持，當年又發現一顆人的左下恆臼齒。1929 年，在中國青年學者裴文中獨立主持下，發現了一個完整的北京人頭蓋骨。此後，考古工作者在周口店又先後發現五個比較完整的北京人頭蓋骨化石和一些其他部位的骨骼化石。1941 年 12 月太平洋戰爭爆發前後，北京人的五個頭蓋骨等珍貴標本全部在幾個美國人手裏弄得下落不明。中華人民共和國成立後，周口店北京人遺址又得到多次發掘，發現北京人的牙齒五顆、下頜骨

一具；1966 年還發現一個殘破的頭蓋骨。這樣，在北京人遺址的歷次發掘中，共發現分屬四十多個男女個體的北京人化石，十多萬件石器和石片，一百多種動物骨骼。北京人遺址是世界上出土古人類遺骨和遺跡最豐富的遺址。北京人遺址的堆積物厚 40 米以上，在堆積中還有北京人用火留下的灰燼。較大的灰燼層有四個，第四層的灰燼最厚處超過 6 米。北京人頭蓋骨低平，頭骨較厚，額向後傾，有較多的原始性狀，平均腦容量約 1075 毫升，男性平均身高 1.62 米，女性 1.52 米，較現代中國人稍矮。北京人的門齒呈鏟形，有寬鼻子和低而扁平的面孔，下頜骨內面靠前部有下頜圓枕等，這表明北京人具有明顯的現代蒙古人種的特徵。依據多種方法測定，北京人生活的年代距今約 70 萬年至 20 萬年。

早期智人

又稱為「古人」，是介於直立人與晚期智人之間，包括中更新世後期和晚更新世前期的人類。在考古學上為舊石器時代中期，時代約距今 20 萬年至 5 萬年。中國早期智人化石有：遼寧營口永安鄉金牛山洞穴發現的「金牛山人」，陝西大荔甜水溝發現的「大荔人」，山西陽高許家窯發現的「許家窯人」，廣東曲江馬壩獅子山洞穴發現的「馬壩人」，湖北長陽龍洞發現的「長陽人」等。早期智人比直立人腦蓋較薄，腦容量較大，動脈支較複雜，說明其智力已有明顯發展。中國早期智人一般顴骨較為前突，眉脊較平直而非前突弧狀，這些都與歐洲、非洲乃至西亞的早期智人明顯不同，其頭骨面已顯示出蒙古人種的某些特色，雖然作為人種在這時期還沒有最後形成。

晚期智人

又稱新人，包括晚更新世後期直到現代的人類。在考古學上為舊石器時代晚期，約距今 5 萬年至 1 萬年。中國境內發現的晚期智人化石有：山頂洞人（北京周口店龍骨山頂）、柳江人（廣西柳江通天岩洞穴）、資陽人（四川資陽黃鱔溪）、河套人（內蒙古伊克昭盟烏審旗薩拉烏蘇河岸邊）、新泰人（山東新泰烏珠台附近）、左鎮人（台灣

台南左鎮菜寮溪）等。晚期智人的腦量為 1300 至 1500 毫升，在現代人腦量的變異範圍之內。腦內動脈支也同現代人接近，說明其智力發達程度已與現代人接近。晚期智人的顱骨變高，厚度減薄，同現代人十分接近。但各地的晚期智人又或多或少地存在某些較原始的特徵。中國境內發現的晚期智人多數已具有蒙古人種的基本特徵，所以被稱為原始蒙古人種，應是現代中國人的直系祖先。

一　山頂洞人

以發現於北京周口店龍骨山北京人遺址頂部山洞的舊石器時代晚期古人類化石而得名的晚期智人。1930 年發現，1933 年至 1934 年由裴文中主持發掘，發現有豐富的人類化石、文化遺物及大量的動物化石。文化遺物包括石製品、骨角器及裝飾品。

山頂洞人的地質年代為晚更新世末，據放射性碳素測定，年代為距今一萬八千多年。山頂洞遺址發現的人類化石包括三個完整的頭骨、一些殘破的頭骨碎片、下頜骨與零星的牙齒，以及部分軀幹骨。這些材料共代表了包括不同年齡和性別的八個個體。據學者研究，山頂洞人當屬於原始的蒙古人種，在其測量數據中，除了晚期智人共同具有的原始特徵以外，主要方面都和現代蒙古人種接近，反映的是正在形成中的蒙古人種的特點。

山頂洞人的文化遺物中有二十五件石器、骨針，以及豐富的裝飾品。骨針長 82 毫米，刮磨得很光滑，針孔是用小而細銳的尖狀器挖成的，它是中國最早發現的舊石器時代的縫紉工具。山頂洞人的裝飾品非常豐富，有穿孔的獸牙、海蚶、小石珠、鯇魚眼上骨等。山頂洞人的洞穴分上室和下室。上室在洞穴的東半部，南北寬 8 米，東西長約 14 米，在地面的中間發現一堆灰燼，還發現有嬰兒頭骨碎片、骨針、裝飾品和少量石器，上室是居住的地方。下室發現有三具完整的人頭骨和一些軀幹骨，人骨周圍散佈有赤鐵礦粉末及一些隨葬品，說明下室是葬地。山頂洞人將死者埋葬在下室，說明他們已經有了原始的宗教信仰。有人認為屍體上及周圍的赤鐵礦粉象徵血液，人死血枯，加

上同色的物質，是希望死者在另外的世界中復活。

新石器時代

人類物質文化的一個發展階段。考古學者指稱以農業、畜牧業的產生和磨製石器、陶器、紡織的出現為基本特徵的原始時代。中國的新石器時代一般認為開始於12000年前。中國新石器時代可劃分為三個時期：早期為距今12000年至9000年；中期為距今9000年至7000年；晚期為距今7000年至4000年。中國新石器時代早期的遺址，在南方，有年代距今一萬年以上的湖南道縣壽雁鎮白石寨村玉蟾岩遺址、江西萬年仙人洞和吊桶環遺址，以及年代為距今10000年至8500年的浙江浦江縣黃宅鎮上山遺址等；在北方，有距今11000年至9000年的河北徐水縣南莊頭遺址、河北陽原縣于家溝遺址、北京門頭溝區東胡林遺址、北京懷柔縣轉年遺址等。中國新石器時代中期的遺址，在南方，有湖南澧縣彭頭山遺址、浙江蕭山跨湖橋遺址、浙江餘姚河姆渡遺址等，還有南北交界處的河南舞陽縣賈湖遺址；在北方，有河北武安磁山遺址、河南新鄭裴李崗遺址、陝西寶雞北首嶺下層遺址、陝西臨潼白家村遺址、山東滕縣北辛遺址、內蒙古東部敖漢旗的興隆窪遺址等。中國新石器時代晚期的遺存，有黃河流域的仰韶文化、中原龍山文化、陶寺文化、馬家窯文化、齊家文化、大汶口文化、山東龍山文化，遼河流域的紅山文化，長江流域的大溪文化、屈家嶺文化、石家河文化、薛家崗文化、馬家浜文化、崧澤文化、良渚文化等。

河姆渡文化

因20世紀70年代在浙江餘姚河姆渡遺址首先發現而得名的新石器時代中期文化。年代距今7000年。主要分佈在杭州灣南岸的寧（波）紹（興）平原，並越海東達舟山島。在河姆渡遺址，發現了由一排排木樁、圓木、木板組成的干欄式建築群，大量的稻穀遺跡，陶器、石器，木耜、骨耜等農耕工具，也發現豬、狗、牛等家畜和犀、象、鹿、虎、猴、獐等獸骨，大量的禽類、魚類，以及船槳等水上交通工具，證明中國是世界上最早種植水稻的國

家之一，也反映了七千年前江南魚米之鄉的田園生活。

裴李崗文化

1977 年首次發現於河南新鄭裴李崗的新石器時代中期文化。主要分佈在豫中一帶，豫北和豫南也有發現。碳十四測定的年代為距今 8200 年至 7500 年。裴李崗文化的經濟以農業為主，作物有粟。農業生產工具以磨製帶鋸齒的石鐮、長條形兩端弧刃或舌形一端刃的扁平石鏟、石磨盤和石磨棒。飼養豬、狗等家畜。陶器有杯、碗、盤、缽、三足缽、鼎、深腹罐、三足壺、雙耳壺等。隨葬品中，一般是石磨盤、磨棒與石斧、鐮、鏟兩類工具分別隨葬，這似乎與男女性別分工有關。

仰韶文化

因瑞典人安特生 1921 年在河南澠池仰韶村的發現而得名的新石器時代晚期文化。以後數十年間，在河南、陝西、河北、山西、甘肅東部等地區所發現類型相近的眾多文化遺址皆以仰韶文化命名。它們的年代範圍大約在距今 7000 年至 5000 年間，其中又劃分為早、中、晚三個時期。仰韶文化時期，農業、畜牧業、製陶業都有相當程度的發展。農業以種粟為主，畜牧業主要飼養豬、狗，製陶業則以燒製的彩陶最為著名。西安市東郊的半坡遺址、臨潼的姜寨聚落遺址都是保存最為完整的仰韶文化早期聚落；河南陝縣廟底溝等遺址屬於仰韶文化中期聚落遺址；山西芮城西王村則屬於仰韶文化晚期遺址。

紅山文化

因 1935 年在內蒙古自治區赤峰市紅山後遺址的發掘而得名的新石器時代晚期文化。紅山文化分早、中、晚三期。早期以內蒙古敖漢旗興隆窪遺址 F133 為代表，其年代大體相當於黃河流域的老官台文化和仰韶文化早期的半坡時期；中期遺存大體相當於黃河流域的仰韶文化中期的廟底溝時期；晚期代表性的遺址有胡頭溝、東山嘴、牛河梁遺址群，年代相當於仰韶文化晚期。在紅山文化晚期，以其女神廟、積石冢、大型祭壇和精美的玉器而被學術界譽為文明的曙光。紅山文化玉器質地精良，玉色清潤，翁

牛特旗三星他拉的「C」字形玉龍尤為著名。在建平、凌源兩縣交界處的牛河梁遺址的女神廟中出土多個屬於女性的泥塑造像。在喀左縣東山嘴遺址發掘出方形祭壇的祭社遺跡和圓形祭壇的祭天遺跡。在女神廟遺址周圍分佈着許許多多的積石冢，也有祭壇。積石冢的修築是用石頭砌成墓壙，中間有較大的石槨，墓主人的隨葬品以玉器為主，有玉龍、玉箍、玉環、玉璧等。

<table>
<tr><td>一
大汶口文化</td><td>黃河下游地區的新石器時代晚期文化，因 1959 年發掘的山東泰安大汶口遺址而得名。</td></tr>
</table>

大汶口文化

　　黃河下游地區的新石器時代晚期文化，因 1959 年發掘的山東泰安大汶口遺址而得名。主要分佈在山東省泰山周圍地區，東達黃河之濱，北抵渤海南岸，西到魯西平原東部邊緣，南及江蘇省淮北一帶。大汶口文化分為三期，早期為公元前 4200 年至前 3600 年；中期分為公元前 3600 年至前 3100 年；晚期為公元前 3100 年至前 2600 年。大汶口文化中、晚期的墓葬出現嚴重的貧富分化，一些富有的大墓，墓穴規模宏大，使用木槨葬具，有大量精美的陶器和石骨器，有些多達一百多件，而且還有精美的玉器和象牙器等。而那些十分簡陋的小墓，墓穴僅容一具屍骨，隨葬品只有一兩件豆、罐之類的陶器，有的甚至一無所有。大汶口墓地大墓與小墓的這種反差，說明大汶口居民內部已出現財富和社會地位上的分化。在大汶口文化中晚期發現有「炅」、「鉞」、「斤」等陶文符號。

龍山文化

　　因 1928 年在山東章丘龍山鎮城子崖的發掘而命名的新石器時代晚期文化。最初泛指黃河中、下游地區新石器時代晚期的文化遺存。1949 年以後，大量的發掘和研究表明，原先的所謂龍山文化，其文化系統和來源並不單一，不能把它們視為只是一個考古學文化。因此，後來根據幾個地區不同的文化面貌，分別給予文化名稱。一般的分法是：（1）山東龍山文化，或稱典型龍山文化，其分佈以山東地區為主。它上承大汶口文化，下續岳石文化。年代約為公元前 2600 年至前 2000 年。（2）廟底溝二期文化，主要分佈在豫西地區。由仰韶文化發展而來，屬於中原地區

早期階段的龍山文化。年代約為公元前 2900 年至前 2800 年。（3）河南龍山文化，主要分佈在豫西、豫北和豫東一帶。上承廟底溝二期文化或相當這個時期的遺存，發展為二里頭文化。年代約為公元前 2600 年至前 2000 年。一般還分為王灣三期、後崗二期和造律台三個類型。（4）陝西龍山文化，或稱客省莊二期文化。主要分佈在陝西涇、渭流域。（5）陶寺文化，以前也稱龍山文化陶寺類型或中原龍山文化陶寺類型。主要分佈在晉南地區。年代約為公元前 2400 年至前 1900 年。

龍山時代

可分為廣義的龍山時代與狹義的龍山時代兩個概念。廣義的龍山時代是指公元前 3000 年至前 2000 年間，在中原地區包括廟底溝二期文化時期，廟底溝二期為龍山時代的早期，年代為公元前 2900 年至前 2800 年。河南永城王油坊的龍山文化，較早的年代可達公元前 3094 年（ZK—0539）；鄭州大河村第五期屬於龍山早期，其較早年代亦為公元前 3000 年左右。狹義的龍山時代是以山東龍山文化（即所謂「典型龍山文化」）的出現為開始的時代，指公元前 2600 年至前 2000 年間。

良渚文化

長江下游地區新石器時代晚期文化，因浙江省餘杭縣良渚遺址而得名。主要分佈在太湖地區，主要中心性遺址有浙江餘杭良渚遺址群，江蘇崑山趙陵山，吳縣草鞋山、張陵山、武進寺墩，上海青浦福泉山等數十處。年代約為公元前 3300 年至前 2000 年之間。良渚文化的陶器，以夾細砂的灰黑陶和泥質灰胎黑皮陶為主，圈足器、三足器較為盛行。良渚文化的墓葬特別流行用玉器隨葬。良渚文化的玉器達到了史前玉器發展的頂峰。不僅種類繁多、數量很大，而且製作精湛，玉器上大多刻有神人獸面紋及其各種變體、鳥紋、捲雲紋等良渚文化特有的圖案。

氏族

從原始群中分化出來的以血緣關係而結成的社會組織。是原始社會的基本生產和消費單位。其成員出自共同

的某個祖先，有自己崇拜的圖騰標識。實行族外婚制。氏族成員共同勞動，人人平等，財產共享。氏族首領管理公共事務，重大事情由氏族議事會共同商議。氏族社會分為母系和父系兩個發展階段。國家是在氏族社會組織解體的基礎上產生的。

部落

原始時代的一種社會組織。美國人類學家摩爾根（L. H. Morgan）對美洲印第安人易洛魁人部落的描述是：印第安人的部落由若干氏族組成，具有一塊領土和一個名稱，說同一種方言，部落內各氏族的成員相互通婚，部落對各氏族選出的酋長和軍事首領有授職之權和罷免之權，部落具有共同的宗教觀念及祭祀儀式，有討論公共事務的部落會議與一個最高首領。

部落聯盟

原始社會後期形成的部落聯合組織。多是由有血緣關係的或相毗鄰的、利害一致的部落組合而成。美洲印第安人的易洛魁部落聯盟就是由具有相互接壤的領土、相近的方言以及分散在各部落中的血緣相近的氏族等條件的五個獨立部落組成的。部落聯盟的主要職能是共同從事軍事行動，如襲擊敵對部落或對付外來侵略者時採取一致行動。易洛魁部落聯盟內設有由五十名世襲酋長組成的聯盟會議，這些世襲酋長是由五個部落中的某些氏族選出，其地位和權限完全平等，對聯盟內諸事項有最高決定權。聯盟中的世襲酋長同時又是自己所在部落的世襲酋長，享有參加部落議事會和表決的權利。聯盟議事會允許人民自由發言，但決議權限於聯盟議事會。聯盟設立兩名主要軍事酋長，其權限相等，無最高行政官。

圖騰

原始氏族部落的崇拜物、保護神及名稱、徽號、標誌。「圖騰」（Totem）一詞來自北美奧傑拜人（Ojibways），意為「我的血親」。圖騰崇拜的核心內涵在於：它將自然界中動物、植物或其他自然物、自然現象引為自己的血緣「親族」，深信其崇拜對象或者是本族的祖先，或者與本族

祖先有過血緣交流，或者是本族成員生育和生命的根源之所在。有許多原始氏族部落以圖騰崇拜物為該族及其個人的名稱、徽號或標誌，同時也是本族的保護神。這樣，人們在村落前立圖騰柱，在房屋、生活用具上繪製圖騰，甚至紋身以為標誌，都是為了表現圖騰神靈經常和本族在一起，庇佑着大家，並因此而發展出發達的圖騰藝術。

對偶婚

亦稱對偶家庭，指原始社會時期，不同氏族的成年男女雙方，在或長或短的時間內實行由一男一女組成配偶，以女子為中心，婚姻關係不穩固的一種婚姻形式。對偶婚為一種兩相情願、不受約束而稍有固定的成對同居形式。摩爾根在《古代社會》(*Ancient Society*) 中曾指出：「區別偶婚制與專偶制的主要特點在於前者缺乏獨佔的同居。」對偶婚和對偶家庭是不斷發展的。起初，男女雙方都住在自己母親的氏族中，通常由丈夫到女家拜訪妻子，或雙方到專為他們建築的公房中過夫妻生活，即所謂望門居；隨着母系氏族發展到繁榮期，氏族分裂為母系大家庭或母系大家族，丈夫便遷到妻子家中居住，即所謂從妻居；至父系氏族初期，妻方居住形式則為夫方居住制所代替。對偶婚和對偶家庭的發展，從人類原始社會時期只知其母不知其父，發展到知母又知父，為後來的父系氏族和一夫一妻制家庭的產生準備了條件，是人類婚姻家庭史上的進步。

專偶婚

亦即一夫一妻制婚姻。關於專偶制家庭的產生，學術界存在不同看法。多數學者認為，專偶制家庭是從對偶家庭發展而來的；而西方一些學者認為，人類家庭一開始就是父系制家庭。專偶制家庭是與父系社會聯繫在一起的，它從產生時起，實際上就只要求女子實行專偶制，男子則可以公開或秘密地實行多妻。真正的專偶制是建立在男女平等的基礎上的。

聚落

人類聚居和生活的場所，是人類各種形式聚居地的總稱。「聚落」一詞古代指村落，如《漢書·溝洫志》記載：

「或久無害，稍築室宅，遂成聚落。」近代泛指一切居民點。根據其形態可分為城市聚落和鄉村聚落兩種形式，城市聚落一般由鄉村聚落發展而來。聚落是聚落地理學的研究對象，也是考古學的一種基本分析單位和研究對象，因此產生出「聚落考古學」。很多著名聚落遺址具有很高的科研價值，是人類非常珍貴的歷史文化遺產。

一 酋邦

歐美人類學家指稱原始社會中血緣身份與政治分級相結合的一種不平等的社會類型。酋邦（Chiefdom）這一概念最早是由美國人類學家卡萊爾沃·奧博格（Kalervo Oberg）在 1955 年寫的一篇文章中首次提出的。在該文中，奧博格根據墨西哥南部低地哥倫布之前的印第安部落社會結構的特點，總結出六種類型的社會形態，其中第三種是政治上組織起來的酋邦（Politically organized chiefdoms），這是在一個地域中由多村落組成的部落單位，由一名最高酋長統轄，在他的掌控之下是由次一級酋長所掌管的區域和村落。其政治結構的特點是酋長有法定權力來解決爭端、懲罰違紀者。其後，在塞維斯的「游團—部落—酋邦—國家」這一演進模式中，酋邦被視為國家產生之前的原始社會已出現不平等的一個發展階段。在歐美人類學家中，由於酋邦的多樣性、複雜性以及學者們對它認識上的差異，導致對酋邦定義也有所不同。酋邦涵蓋了從剛剛脫離原始部落的較為平等的狀態一直到非常接近國家的複雜社會的各種不同類型的社會形態，「簡單酋邦」與「複雜酋邦」則用來表示酋邦社會中不平等的發展程度和酋邦演進中的前後兩個階段。

一 邦國

指結構形態簡單的早期國家。「邦國」一詞既見於青銅器銘文，如《蔡侯鐘》「建我邦國」；也見於《詩經》、《周禮》等文獻。「邦」或「邦國」這些詞彙表達的大多屬於古代國家之類的政治實體。如在《尚書》的《召誥》、《大誥》等文獻中，周人用「大邦殷」稱呼殷商王國，用「小邦周」稱呼周人自己的國家。《尚書》等先秦文獻中的「邦」、「邦

人」在《史記》等文獻中每每被置換為「國」、「國人」。青銅器銘文和先秦文獻中有「邦君」這樣的稱呼，指的是邦國之君。在當代的史學著作中，有學者用「邦國」、「王國」、「帝國」來指稱中國古代國家形態發展的三個階段，在這樣的體系中，邦國指的就是簡單的早期國家。

族邦

指邦國，也屬一種早期國家。在這樣的國家中，血緣、姓族、宗族等因素還發揮着重要的作用，因而在「邦」（國家）之前冠以「族」而稱「族邦」。「族邦」用來指國家，最早由田昌五先生提出，他把從五帝時期的「萬邦」經夏商周時期一直到戰國時代都稱為「族邦時代」。而其他學者更主要的是在邦國的意義上使用族邦這一概念。

三皇五帝

指中國古史傳說時代的諸位領袖。三皇五帝作為一個專有名稱，出現在戰國時代。《周禮》、《莊子》和《呂氏春秋》等書中都有「三皇五帝」這一概念，但在古代文獻中說法不一。關於「三皇」大約有六種說法：（1）伏羲、女媧、神農（《春秋元命苞》）；（2）遂皇、伏羲、女媧（《春秋命曆序》）；（3）伏羲、神農、燧人（《白虎通·德論》。《禮含文嘉》排列為：「宓戲、燧人、神農」）；（4）伏羲、神農、共工（《通鑒外記》）；（5）伏羲、神農、黃帝（《玉函山房輯佚書》引《禮稽命徵》、孔安國《尚書傳序》、皇甫謐《帝王世紀》）；（6）伏羲、神農、祝融（《白虎通·德論》）。

「五帝」也有多種不同的組合。現在一般採用的多是《易傳》、《大戴禮記·五帝德》、《國語》、《史記·五帝本紀》所記載五帝：黃帝、顓頊、帝嚳、帝堯、帝舜。

伏羲

三皇五帝傳說中的三皇之一。傳說中的伏羲時期的文化主要特徵有三：（1）「教民以獵」（《尸子》）、結網捕魚；（2）始「制嫁娶」之禮（《古史考》）；（3）「仰則觀象於天，俯則觀法於地，觀鳥獸之文與地之宜，近取諸身，遠取諸物，於是始作八卦」（《易傳·繫辭下》）。「始作八卦」說

明已出現原始、樸素的邏輯思維和辯證思維;「制嫁娶」,出現以血緣為紐帶的社會組織,因而伏羲氏時代的漁獵經濟也已不屬於舊石器時代早期和中期較低級的漁獵經濟,應與舊石器時代晚期較高級的漁獵經濟相對應,伏羲時代屬於舊石器時代晚期。

女媧

神話傳說中的人物。《太平御覽》卷七引《風俗通》說:「俗說天地開闢,未有人民,女媧摶黃土作人。」說的是有關女媧摶土造人的神話傳說,這是古人對人類起源的一種神話性的解釋。此外,還有女媧補天的傳說。《淮南子·覽冥訓》說:「往古之時,四極廢,九州裂,天不兼覆,地不周載……於是女媧煉五色石,以補蒼天,斷鰲足以立四極,殺黑龍以濟冀州,積蘆灰以止淫水。」大概遠古時期發生過被古人稱之為「天崩地裂」的地震、暴雨不斷等自然災害,古人將此說成是天塌陷了一個大洞,用女媧補天的神話故事來解釋這種重大自然災害的發生以及自然界的恢復和天氣的好轉。

神農

神話傳說中的三皇之一。是古人解釋中國上古農業起源及其早期發展的傳說人物。《逸周書·佚文》說:「神農之時天雨粟,神農耕而種之。作陶冶斤斧,破木為耜,鉏耨以墾草莽,然後五穀興,以助果蓏之實。」《易傳·繫辭下》曰:「神農氏作,斲木為耜,揉木為耒,耒耨之利,以教天下。」說的都是神農發明農業和農業生產工具的事情。此外,還有神農嘗百草的傳說。《淮南子·修務篇》說:「神農嘗百草之滋味,一日而遇七十毒。」神農嘗百草,一方面說明上古醫藥與農業及植物學知識密不可分,同時也告訴人們神農的犧牲精神。有的文獻說神農即炎帝;也有學者認為,漢代以前,神農是神農,炎帝是炎帝,只是炎帝族也很注重農業,對農業的發展很有貢獻而已。

炎帝

古史傳說中與黃帝並列的中國人文始祖。姜姓,又號稱「烈山氏」、「列山氏」、「厲山氏」、「連山氏」、「魁隗氏」

等。《國語‧晉語四》說:「昔少典娶於有蟜氏,生黃帝、炎帝。黃帝以姬水成,炎帝以姜水成,成而異德,故黃帝為姬,炎帝為姜。」因《水經注》渭水條下記載有:「岐水又東,徑姜氏城南,為姜水」等,所以,徐旭生等學者主張姜姓的炎帝氏族的發祥地在渭水上游今寶雞一帶。也有學者認為,被號稱為「烈山氏」、「列山氏」、「厲山氏」、「連山氏」的炎帝,並不在北方,而是在南方。炎帝對農業的發展有貢獻,故有的文獻說炎帝即神農。炎帝與黃帝並稱「炎黃」。

黃帝

古史傳說中的五帝之一。黃帝族最初居住在今陝北的黃土高原上,後來向東遷徙發展,其足跡和遷徙的範圍很大。司馬遷說他曾遊各地,「西至空桐,北過涿鹿,東漸於海,南浮江淮」。各地的風俗習慣雖然不同,但他所到之處,各地的長老往往皆「稱黃帝」。可見黃帝傳說的影響之大。中國上古時代,人名、族名和地名常常合而為一。黃帝號稱軒轅氏,又號稱有熊氏。有學者認為,軒轅氏即天黿氏,是以大鱉為圖騰;有熊氏是以熊、虎等猛獸為圖騰。黃帝稱軒轅又稱有熊,是部族融合的結果。這種部族融合的進一步發展,後來就成為以黃帝族和炎帝族為主體,融合其他諸多部族而形成的華夏民族。華夏族的主幹是由黃帝族、炎帝族所構成,黃帝和炎帝也就順理成章地被視為中華民族的人文初祖。

堯

名放勳,傳說是陶唐氏的邦君,所以又稱唐堯。陶唐氏最初活動於今河北唐縣一帶,後遷徙來到晉南,在帝堯時定居於晉南的臨汾盆地,即文獻所說的「堯都平陽」。在堯舜時期,各地已產生邦國,並出現邦國聯盟。堯、舜、禹最初都是各自邦國之君,也先後擔任過中原地區邦國聯盟的盟主。堯舜禹禪讓傳說,描述了盟主職位在邦國聯盟內轉移和交接的情形。

名重華，傳說是有虞氏之人，所以又稱虞舜。孟子說舜最初是東夷人，生於諸馮（有學者認為在今山東諸城）。虞舜後來由東方遷徙到了今晉西南的永濟一帶，所以舜又被稱為「冀州之人」。據《尚書·堯典》等記載，堯在年老的時候，讓聯盟內的「四岳」推舉繼承人，大家一致推舉舜。經過對舜的品德等一系列考察，堯以為舜足以授天下，於是決定讓位於舜。舜正式繼位前，曾把權力讓給堯的兒子丹朱，自己避居於南河之南。然而天下諸邦和民眾卻不信任丹朱，而擁戴舜，這樣，舜才正式繼位。

古史傳說中的人物。有關他的傳說，最為著名的是大禹治水。相傳禹吸取父親鯀治水失敗的教訓，用疏通河道，開導川流的阻滯來取代圍堵的方法治理洪水，獲得了成功。「禹娶塗山氏女」為妻，禹為治理洪水，三過家門而不入，被傳為佳話。禹治理洪水取得了成功，在邦國聯盟中建立了極大的威信。《左傳》哀公七年記載：「禹合諸侯於塗山，執玉帛者萬國。」此時的禹已具有決定生殺予奪的專斷權力，《國語·魯語》記載，禹曾令各地邦君會盟於會稽（今浙江紹興），防風氏遲到，禹一聲令下，就把他殺了。禹是從早期的邦國向王國轉變時期的邦君和邦國聯盟盟主。

傳說中的中國古時帝位傳承體制。相傳實行於堯、舜、禹時期。此一時期「天下」歸為「一統」，而地方諸侯國仍具較大獨立性，取得帝位需經諸侯國君認同。帝在位期間，經臣屬推舉賢能以確定後繼者人選，委以重任，增強其才幹和威望。帝死後，後繼人選需推讓、迴避一段時間，待諸侯歸心擁戴方就帝位。而據近人研究，此制實行於原始社會末期或早期文明時代，係部落聯盟推選首領或邦國聯盟推選盟主的制度。

歷代關鍵詞

一 │ 夏商周

一
二里頭遺址

位於河南偃師二里頭村,發現於 1957 年冬。其第一至第三期遺址的碳十四測定的年代為距今 3750 年至 3600 年左右,與夏代的中、晚期相當。二里頭遺址規模宏大,面積達 3 平方公里以上。在二里頭的宮殿建築群中,一號宮殿最為壯觀。由主殿、庭院、廊廡環繞的圍牆所組成。整個建築氣勢宏偉,巍巍壯觀,象徵着權力、地位和威嚴。二里頭遺址出土的青銅器,有鼎、爵、斝、盉等禮器;鉞、戈、戚、鏃等兵器;錛、鑿、鑽、錐、刀等工具;另外還有各種鑲嵌綠松石的銅牌和銅鈴等。禮器反映等級身份,兵器顯示出戰爭,這些都體現了當時「國之大事,在祀與戎」(《左傳》成公十三年)的社會價值取向。二里頭還出土了各種玉禮器,如玉鉞、玉璋、玉戈、玉刀、玉戚、玉圭等。這些玉器製作得頗為精美。在一個貴族墓中出土的用綠松石片粘嵌的大型龍形器,是中國早期龍形象文物中珍貴的精品。作為禮樂之邦的中國,玉器和玉禮器也是其禮樂文明的重要組成部分。許多考古學者推定二里頭遺址為夏朝中晚期的王都。

一
殷墟

殷商王朝後期都城遺址。位於河南省安陽市西北郊洹河兩岸,面積在 36 萬平方公里以上。發現於 20 世紀初,1928 年開始發掘。自盤庚遷都於此至紂王(帝辛)亡國,商以此為都(約公元前 14 世紀末至前 11 世紀),共經八代十二王、二百七十三年。殷墟遺址規模宏大、遺存豐富、分佈密集。包括宮殿、宗廟區,鑄銅、製骨、製陶等手工業作坊區,居民區,王陵區和平民墓地等部分。出土有大量青銅器、玉器、骨角器、陶器等遺物,其中包括司

母戊鼎、三聯和尊等著名的精美青銅禮器。遺址內還出土甲骨卜辭十五萬餘片，是中國迄今發現的最早的系統文字。

三星堆遺址

蜀文化遺址。位於今四川廣漢市西約 10 公里南興鎮三星村，北倚鴨子河，南有馬牧河。馬牧河南岸原有三座黃土堆，故稱三星堆。馬牧河北岸有月亮灣（今真武村），1929 年因出土玉器而引人關注。1986 年，在三星堆南面發掘一、二號祭祀坑，時代屬商代中晚期，出土有金杖、金面罩、金虎形飾、青銅立人像、人頭像、人面像、神樹、尊、罍、玉牙璋、玉琮、玉瑗、象牙、海貝等大量精美器物，地方特色濃厚，製作及使用年代當在商代或更早些。後又在月亮灣以東發現東城牆，在月亮灣以西發現西城牆，在三星堆以南發現南城牆，整個城址呈北窄南寬佈局，東西長 1600 至 2000 米，南北長 2000 米左右，面積 3.5 至 3.6 平方公里。發掘者認為此城址當為商至西周初期蜀國之都城所在。

內服

古時地域區劃。亦稱畿內或王畿，指以王都為中心向外輻射五百里的範圍，屬王直接治理的地區。服即服事，畿即界限。據《尚書·禹貢》及《國語·周語》，甸服屬內服。另亦有以甸服屬外服者。

外服

古時地域區劃。指王畿（內服）以外地區，居住者為臣服於王的諸侯國及邊遠民族。《尚書》、《國語》、《周禮》等對外服有不同記述。《尚書·酒誥》：「越在外服，侯、甸、男、衛邦伯。」可與甲骨文、青銅器銘文中的相關內容相對應，反映了商代的國家結構。

方國

一般是指夏商周時期與中央王朝或中央王國相對而言的各地方的國家。甲骨文中的「某某方」說的就是某一方國。如商在尚未取代夏之前是方國，滅商前的周是商王朝的方國，而在其取代前朝的正統地位後則成為中央王國，各地臣服或受封之國成為其方國。

百姓

商周時期貴族總稱。《尚書·酒誥》:「越百姓里居。」孔安國釋「百姓」為「百官族姓」。孔穎達解為「每官之族姓」。《詩經·小雅·天保》:「群黎百姓。」《毛傳》亦解釋「百姓」為「百官族姓」。《國語·楚語下》:「百姓千品。」韋昭解釋「百姓」為「百官受氏姓」。此一時期為官者以職事賜姓,如太史、司馬等,其家族世代相傳,故稱「百官族姓」為「百姓」。戰國以後用為平民的通稱,見於《墨子·辭過》等。

宗法制

古時以血緣關係為基礎形成的統治制度,以周代最為典型。其王位世襲,由嫡長子繼承,稱為天下的大宗,是同姓貴族的最高家長,也是政治上的共主,掌握國家的軍政大權。嫡長子的同母弟與庶兄弟封為諸侯,對周王為小宗,在本國為大宗,其職位也由嫡長子繼承,為下一代諸侯。諸侯的庶子分封為卿大夫,對諸侯為小宗,在本家為大宗,其職位亦由嫡長子繼承,為卿大夫。從卿大夫到士,其大宗與小宗的關係與此略同。士的長子仍為士,其餘諸子為平民。這些世襲的嫡長子稱為宗子,百世不遷。

世卿世祿

周代官祿體制。周代通過層層分封,形成王、諸侯、卿大夫、士等一系列等級,各等級爵位、權力及其佔有的土地、人民和財富,原則上都由嫡長子繼承,次子或庶子只能分到次一等的權力和地位。由嫡長子世襲的各級貴族以族長的身份掌握着各級政權和兵權。世襲的卿大夫按照聲望和資歷來擔任官職,並享受一定的采邑收入,稱為世卿世祿。春秋後期,在卿大夫家中出現官僚性質的家臣,他們不再有封地,而是以糧食為俸祿,逐漸演變為戰國時期的官僚體制。

采邑

亦名封地或采地。周代實行分封制,諸侯封賜屬下卿大夫的封地稱采邑,卿大夫的嫡長子孫可世代以采邑為食祿,故采邑亦稱食邑。最初的采邑,卿大夫只是收取封地的經濟收入和進行管理,而采邑的土地和居民仍直屬於諸

侯。到後期，隨着卿大夫勢力的增長，其采邑擁有的權力越來越大，獨立性越來越強，已接近於諸侯的封地。

五等爵

周代分封諸侯依次尊卑的五個爵稱，即公、侯、伯、子、男。依據《孟子‧萬章下》所述，其公、侯受封之地方圓百里，伯受封之地方圓七十里，子、男受封之地方圓五十里。爵稱除以封地大小相區別外，也與其所處政治地位有關。《公羊傳‧隱公五年》記載，天子三公稱公，王者之後稱公，其餘大國均稱侯，小國稱伯、子、男。另據《禮制‧王制》，又以天子、公、侯、伯、子男為五等爵制。

三公

中國古時朝廷中最尊顯的三個官職的合稱。據《尚書‧周官》及《周禮》，以太師、太傅、太保為三公。而據《尚書大傳》及《禮記》，則以司徒、司馬、司空為三公。另有《公羊傳》以三公為天子之相，自陝（今河南陝縣一帶）而東者周公主之，自陝而西者召公主之，一相居於朝中，是為三公。秦代不設三公。漢代初以丞相、御史大夫、太尉為三公；後太尉廢置，以大司馬統領軍權，將御史大夫改為大司空，將丞相改為大司徒，而稱三公。魏晉以後，三公之位雖常設，已無實權，逐漸變成虛銜或「優崇之位」。

三監

周初在原商王畿內所設監管者。周武王克商，將原商都朝歌（今河南淇縣）及其附近地區分為三國，以邶封商紂王之子武庚祿父，以鄘封武王弟管叔鮮，以衛封武王弟蔡叔度，共同監管商朝遺民，稱為三監。周武王死後，成王年幼即位，周公攝政，引起管叔、蔡叔懷疑，聯合武庚作亂。周公奉成王之命東征，殺武庚、管叔，放逐蔡叔，而遷三監之民於成周（今河南洛陽東）。一說三監是指管叔（封於衛）、蔡叔（封於鄘）及霍叔（武王弟，封於邶），不包括武庚（封於原商都）。後管叔、蔡叔及霍叔聯合武庚作亂。

西周

周朝早期。起於公元前 11 世紀周武王克商,建立周朝,止於周幽王十一年(公元前 771)申侯、犬戎攻殺幽王於驪山下。因國都鎬京(今陝西西安西)在王畿西部,故稱西周時期。此一時期國勢強盛,受分封的諸侯聽命於周王,少有征戰,在典章制度方面多有建樹,對後世影響深遠。

共和行政

西周時期政治事件。周厲王暴虐專制,寵信佞臣,引起國人謗怨,憤而起事,攻襲厲王,厲王逃奔到彘(今山西霍縣)。太子靜藏在召穆公家,被國人包圍,召公以自己兒子代替,太子方得免難。厲王出奔後,由朝臣召穆公、周定公二人共同行政,號為共和。共和元年(公元前841),為中國古史有明確紀年之始。共和十四年(公元前828),厲王死於彘,周、召二公共立太子靜,是為周宣王,共和行政即行結束。此外,還有以共和指共伯和(共國國君名和)一說,厲王出奔後,諸侯推舉共伯和代行天子事,故稱共和行政。厲王死,共伯和使諸侯奉太子靜為王,自己回到衛國。

東周

周代中晚期。起於周平王元年(公元前770)東遷洛邑(今河南洛陽),止於秦始皇二十六年(公元前221)統一六國。因國都洛邑位於王畿東部,故稱東周時期。其又可分為春秋和戰國兩個時段。此一時期王室衰微,已無能力控制局勢,且所屬領地逐漸縮小。周考王時(公元前440—前426年在位)封其弟為西周公(西周桓公),後傳子西周威公,再傳子西周惠公,又封其少子為東周公(一說韓、趙助東周叛立)。東、西周二公國分治後,周顯王寄居東周,至周赧王又改居西周。周赧王五十九年(公元前256),周赧王死,秦取九鼎寶器,而遷西周公於憗狐(今河南洛陽南百餘里)。後七年,秦莊襄王滅東周,東、西周皆入於秦。

一
春秋

東周前半期。起於周平王元年（公元前 770），止於周敬王四十四年（公元前 476）。因後世所傳魯國編年史《春秋》記事時間（起於魯隱公元年即公元前 722 年，止於魯哀公十六年即公元前 479 年）與之大體相當，故稱春秋時期。此一時期王室衰微，諸侯大國爭霸，多有征戰會盟之事，許多小國滅亡，社會劇烈動盪。

一
春秋五霸

春秋時期諸侯國中獲得霸主地位的五位國君。亦稱五伯。據《孟子‧告子》趙岐注，五霸是指齊桓公、晉文公、秦穆公、宋襄公、楚莊王。另據《荀子‧王霸》、《墨子‧所染》所述，則當指齊桓公、晉文公、楚莊王、吳王闔閭、越王勾踐。

一
尊王攘夷

春秋時期齊、晉等國為爭得霸主而採取的策略。「尊王」即尊崇周王的權威。此一時期周王雖已無力控制局勢，但在名義上還是「天下共主」，以「尊王」相號召，既可維持大局基本穩定，促進諸侯國間的聯合，又可為倡導者撈取爭霸的政治資本。周襄王十六年（公元前 636），王子帶作亂，襄王出奔。晉文公出兵護送襄王回王都，殺王子帶，即屬此類行動。「攘夷」即抵禦夷狄入侵。此一時期原屬於周邊地區的夷狄部族勢力漸強，乘機侵入內地，使周初所封諸侯國的安全受到嚴重威脅。驅逐入侵者，使被滅掉的弱國得以復興，以求華夏族在中原地區的主體地位得以鞏固和延續。周惠王十七年（公元前 660），狄人伐衛。次年，狄人伐邢。齊桓公均出兵相救，使衛、邢二國滅而復興，即屬此類行動。

一
三桓

春秋時期魯國卿臣。魯國魯僖公在位期間，由魯桓公之子季友執政，其後代稱季孫氏。季友之兄慶父、叔牙之後為孟孫氏、叔孫氏。這三家皆為桓公之後，故稱三桓。僖公以後到春秋末，魯國政權基本上由三家把持，魯君實力嚴重削弱。

六卿

春秋時期晉國卿族。晉國因不許立公子、公孫為貴族，導致異姓或國姓中疏遠的卿大夫得勢，先後出現狐、趙、韓、魏、欒、范、荀氏等強大卿族，經激烈兼併，到春秋晚期只剩下最強的趙、魏、韓、范、中行、智氏六族，稱六卿。後來又滅范、中行氏，再滅智氏，由趙、韓、魏氏三分晉國。

戰國

東周後半期。起於周元王元年（公元前 475），止於秦始皇二十六年（公元前 221）統一六國。因此一時期有秦、楚、韓、趙、魏、齊、燕七個大國被稱為「戰國」，故稱戰國時期。此一時期大國爭雄，通過兼併戰爭實現統一。各國通過變法，改革政治、經濟、軍事體制，增強實力，推動社會進步與轉型。

戰國七雄

指戰國時期齊、楚、燕、趙、魏、韓、秦七國。齊國為周初姜太公所立，至周安王十六年（公元前 386），田和開始列為諸侯，取代姜齊。楚國在商代已有，周初繼封，相沿至戰國時期。燕國為周初召公所立，相沿至戰國時期。趙、魏、韓三氏原為晉國卿臣，周貞定王十六年（公元前 453）三分晉國，周威烈王二十三年（公元前 403）同列為諸侯。秦人在周孝王時受封於秦地，為附庸。周幽王十一年（公元前 771），犬戎與申侯伐周，殺幽王於驪山下。秦襄公將兵救周，有功，被周平王封為諸侯。秦最後滅六國，統一中國。

合縱連橫

戰國時期縱橫家所主張和推行的外交、軍事策略。「合縱」即「合眾弱以攻一強」，將許多弱國聯合起來抵抗一個強國，以防止強國兼併。「連橫」即「事一強以攻眾弱」，由強國拉攏一些弱國來進攻另外一些弱國，以達到兼併土地的目的。其重視依靠外力，過分誇大計謀策略的作用，代表者有蘇秦、張儀等。

一 胡服騎射

戰國時期趙國實行的軍事改革。趙國北臨東胡、林胡和樓煩等遊牧部族，經常以騎兵侵擾趙國。為加強邊防，周赧王八年（公元前 307），趙武靈王命令軍隊採用胡人服飾，改穿短裝，束皮帶，用帶鉤，穿皮靴，藉以發展騎兵，訓練在馬上射箭的作戰技術，使軍隊作戰能力大為增強，攻取林胡、樓煩部分土地，迫使其向北遷移。

一 郡縣制

中國封建社會的主要地方行政制度。春秋時期諸侯國中已有縣的設置。縣的長官多父子相傳，楚國稱尹，或稱公；晉國稱大夫。至戰國時期，縣的設置已較廣泛，並由世族世官制轉變為官僚體制。商鞅變法，更在秦國普遍推行縣制，一縣之長稱縣令，由國君隨時任免。郡的設置亦始於春秋時期，初期多設於邊境地區，其與縣之間無統屬關係。至戰國時期，隨着郡、縣數量增多，漸形成以郡統縣的地方管理體系。郡守（或稱太守）為一郡之長，多由武官充任，有徵兵領軍之權。秦統一後，郡縣制通行全國。

一 上計

戰國時期的官吏考評體制。主要在韓、趙、魏、秦等國實行。每年秋季先由縣令、長把全縣的戶口、墾田、錢穀出入等數目編為計簿，呈送郡國，由郡國守、相進行考核，並將對縣級官吏的考評以及向中央推薦的人才簡況如實寫在統計簿冊上，稱為「計書」，年底前將副本上呈於中央進行考績。計簿初由郡縣丞呈送，後改派高級掾史負責，稱為上計吏、上計掾或計吏，遇有錯誤及不實之處，上計吏首先要遭到刑訊，才能出眾的上計吏可以留在郡國或中央任職。秦漢以後沿用。

一 國人

周代居住於城區及近郊者。周王或諸侯所居都城及其百里之內的近郊稱為國，故稱居住在國中者為國人。國中分劃為鄉，由鄉大夫等進行管理。國人的多數是與貴族有宗法血緣關係的士階層，他們有議政的權利，當國家遭到大的變故時，王或諸侯要徵詢其意見。他們之中的才能優

秀者，會得到選拔推薦。其丁壯日常有義務參加國家組織的田獵、力役；遇有戰爭，則參加軍隊，或出征，或戍守。

野人

周代居住於田野者。周王或諸侯所居都城及其近郊稱為國，郊以外稱為野，故稱郊以外的居民為野人。野中劃分為遂，由遂大夫等進行管理。野人主要承擔生產活動，戰爭時期只在軍中從事配合性的雜務。

什伍

戰國時期秦國戶籍編制。商鞅變法時制定連坐法，將秦國居民按五家為一伍、十家為一什進行編制，建立相互告發和同罪連坐的制度，告發奸人者可以如同斬得敵人首級一樣得賞，不告發者要腰斬。如果一家藏奸，與投敵者受同樣的處罰；其餘九家不檢舉告發，要一起辦罪。這種連坐法也實行於軍隊的行伍之中，在作戰時五人編為一伍，登記在名冊上，一人逃亡，其他的人就要受到處罰。

五刑

中國古代五種刑罰的總稱。起源於虞舜時期，夏商以後相沿，而所指互有不同。商周時期以墨、劓、刖、宮、大辟為五刑。墨，又名黥，即刻刺肌膚，填墨。劓即割鼻。刖即斷足。宮，即男子割掉生殖器，女子幽閉。大辟即殺、斬。秦漢時期刑制繁雜，是以肉刑為主體的五刑向徒刑、流刑為基礎的刑罰體制的過渡期。北魏重新確定新的五刑制，以死、流、徒、鞭、杖為其五刑。隋代去鞭刑，加入笞杖，正式確定了以笞、杖、徒、流、死五刑的刑罰體系，一直相沿至明清時期。

九刑

周代刑罰。《漢書·刑法志》載：「周有亂政而作九刑。」一般解釋為在已有墨、劓、刖、宮、大辟五刑外，增加流（流放）、贖（用財物抵消肉刑或死刑）、鞭（用大竹板或荊條捶擊被刑者的脊背、臀部、雙腿）、撲（用小竹板或荊條擊打身體）等四種刑罰，稱「九刑」。此外，亦有解釋「九刑」為書名，指周代九篇刑書。

井田制

中國古時田制。相傳起源於黃帝時期，盛行於夏商周三代。其以土埂和溝洫為界限，將用於耕種的田地劃分成整齊的有一定地積的小塊。井田的最高所有權屬於國君或貴族，耕作者僅有使用權。其分為公田和私田兩部分，小塊的私田由每戶農民耕種，收穫歸己；公田則由大家通力合作，收成歸國家或貴族。此外，還有不劃井的零散土地，如《周禮》所述在國都附近有官田、士田、賈田、賞田等。官田、賈田是分給供職於官府的小吏、工商的祿田，士田是授予士家屬的份田。

公田

周代田制。在井田制下，每戶農夫都必須參與集體耕作公田。公田的全部收穫作為貢賦交納，國家以支付宗廟祭祀、官吏俸祿和朝廷日常費用，或作為各級貴族的封地收入。

私田

周代田制。井田制下，每戶農夫所受定期輪換的份地，謂之私田，其收穫歸己。井田制廢除後，份地轉為私有，始對國家納稅。

三田制

周代可耕田的三種形態。其當年開墾耕種的田地稱菑，墾後一年者稱新，墾後二年者稱畬。亦有以墾後一年者稱畬，墾後二年者稱新。菑指拔除草木、整治田畝、開荒耕種。因當時還不能精耕細作並缺乏較好的施肥條件，新開的菑田經過幾年種植便地力耗竭，不能種植，只好輪番拋荒。在三年的種植過程中，地力發揮的作用年與年之間各不相同，為有所區別，故有不同名稱。

爰田

春秋戰國時期田制，或作轅田。爰、轅相通，意為變換、變易。爰田原指休閒耕作，一般為三年。因田地連續種植三年後地力耗竭，需要拋荒若干年，故農耕者所受田地三年變換一次。據《左傳》等記載，周襄王七年（公元前 645），秦、晉戰於韓原，晉惠公被獲，晉國為取悅於民而作爰田，即以可好壞輪換的田地賞賜臣民。

初稅畝

春秋時期魯國進行的田稅改革。時在魯宣公十五年（公元前 594）。按舊制，可耕作的田地分為公田和私田兩部分，公田又稱籍田，歸國家所有，由農耕者集體耕種，所獲穀物全部歸公；私田亦歸國家所有，平均分給每戶農耕者，自己耕作，收穫全部歸己。而此次改革，開始打破公田與私田的界限，一律按畝徵稅，意在增加國家稅賦，客觀上則承認了私田的私有化。

工商食官

商周時期管理體制。「工」主要是指各種從事手工業生產者，「商」主要是指從事商品交易活動者，其均隸屬於官府，為王及諸侯國君服務。工商之家分區聚族而居，技藝世代承傳，按官府指令和需要進行生產，管理工人生產的官吏稱「工師」。工商之家也受田，但數量比農民少得多。工本人可以從公家的倉廩領取口糧。

百工

古時對各種工的總稱。工為以技藝為職業者，如奏樂、繪畫等，而大多數為從事手工業生產的工。在商代甲骨文中已出現「百工」、「多工」等。在西周銅器銘文及《尚書》中都記有「百工」。「百工」或與「諸尹」、「里君」並列，當指各種工官；或與「臣妾」等並列，則當指從事各種手工業生產的奴僕。此一時期的「百工」多從屬於官府，聚族而居，技術世代相傳。春秋戰國時期，「不為官工」的個體手工業者開始大量出現。

犬戎

諸戎之一。戎為先秦時期西北民族的泛稱，又稱西戎。因分佈範圍及歸屬不同，分為允姓之戎、姜氏之戎、犬戎等。犬戎即商周時期之畎戎，《山海經》稱犬封國，夏商之際入居今陝西彬縣、岐山一帶。周穆王西征，遷犬戎於太原，亦稱太原之戎。周夷王時，命虢公率六師伐太原之戎，獲馬千匹。周厲王時，戎入犬丘，而後大盛。西周之末，申侯聯合犬戎等攻周幽王，殺幽王於驪山下。周平王東遷洛邑（今河南洛陽）後，將岐山以西之地賜封秦襄公，秦國進而盡取犬戎所據周地。

一
東夷

古時對東方民族的泛稱。其居住和活動範圍主要在今山東、江蘇、安徽一帶。先秦時期，東夷民族眾多，主要指以傳說時代的太皞、少皞為代表的部族，《禹貢》稱為「鳥夷」。又有「九夷」等名稱。夏商周三代，華夏諸國與東夷多有征戰，亦有通使會盟，漸至融合。近年出土的春秋時期徐國（徐夷）銅器，其文字、形制、紋飾已與中原器物無別。「九夷」之名猶見於戰國，但秦併六國後，淮、泗諸夷皆散為民戶，到漢代已無夷、夏之別。

一
百越

古時對南方民族的泛稱。其居住和活動範圍主要在今浙江、江西、福建、台灣、廣東、海南及越南國北部。因其居民「非一種」，「各有種姓」，故稱「百越」。根據語言、習俗和地域的差異可分為「閩越」（今浙江、福建、台灣）、「南越」（今廣東）、「揚越」（今江西）、「雒越」（今海南及越南國北部）等。秦漢時期，經多次征討，百越各族全部置於中央王朝統領的郡縣之下，與華夏民族迅速融合。

一
《四分曆》

古曆法。其以一年之長為三百六十五又四分之一日，故稱四分曆。在推算中輔以二十九又九百四十分之四百九十九為朔望月、十九年七閏為閏周。此法在春秋戰國之際已被普遍採用，表明當時不僅能夠較準確地測定回歸年和朔望月，而且能夠較準確地掌握兩者之間的內在關係，使曆法的編制工作從對天象觀測的完全依賴中解脫出來，進入可以進行科學推算的階段。

一
二十四節氣

中國古代根據物象特徵所劃分的氣候節點。形成於戰國時期，一年有二十四個，依次為立春、驚蟄、雨水、春分、清明、穀雨、立夏、小滿、芒種、夏至、小暑、大暑、立秋、處暑、白露、秋分、寒露、霜降、立冬、小雪、大雪、冬至、小寒、大寒。到西漢時期將雨水移到驚蟄之前，相沿至今。

二十八宿

古時天象觀測體系。為了對日、月及金、木、水、火、土五行星的運動進行系統觀測，以便準確地掌握其運行規律，古人將日月五星運行路線附近的恆星分成二十八區，稱之為「二十八宿」；並將其平均分為東、西、南、北四組，稱為「四象」或「四宮」。其自西向東依次為角、亢、氐、房、心、尾、箕（屬東宮青龍），斗、牛、女、虛、危、室、壁（屬北宮玄武），奎、婁、胃、昴、畢、觜、參（屬西宮白虎），井、鬼、柳、星、張、翼、軫（屬南宮朱雀）。據史書記載，戰國時期甘公作《天文星占》、石申作《天文》，均記有二十八宿星名。1978年，湖北隨州曾侯乙墓中出土繪有二十八宿全部星名和青龍、白虎圖案的漆箱蓋，可表明二十八宿及其劃分四象的體系在戰國初期已完全確立。

耦耕

周代耕作方式。耦為兩個耒耜連綴而成的翻地農具。耕作時兩人共持一耦，從左右同時用腳踏壓，使耜入土翻地，有利於深耕，提高農作物產量。

塊煉法

早期冶鐵技術。在煉爐中加入礦石和木炭，點燃後用橐鼓風來進行冶煉。因炭火溫度不高，爐中的礦石不能充分熔化，被還原的（即去了氧的）鐵從爐中出來時，是呈海綿狀態的熟鐵塊。這種表面粗糙、夾有渣滓的熟鐵塊需要經過相當時間的鍛打，才可能得到較純的鐵塊。考古發現表明，中國在春秋時期已用此法煉鐵。與此同時，冶煉液態生鐵技術亦開始出現。春秋晚期至戰國早期，塊煉鐵在木炭中長時間加熱，使表面滲碳，經過鍛打，成為滲碳鋼片，形成滲碳製鋼技術。

玉器

以玉石為原料製作的禮器、實用器和裝飾品。新石器時代已出現用玉料製成的琮璧類禮器和龍形裝飾品。商周時期玉和瑪瑙、水晶等寶石的價值逐漸被認識，玉石製品的數量和品種都有增多，雕琢工藝也有提高，很多玉石器被賦予特定的含義。完成一件玉石製品，要經過鋸截、琢

磨、穿孔、雕刻和拋光等工序。秦漢以後，治玉技術不斷改進，風格特點亦多有變化。

**一
青銅器**

以青銅為原料製造的工具、武器、器皿及裝飾品。在銅中加適量的錫，以降低熔點並改善硬度，即為錫青銅，通稱青銅。其在新石器時期已經出現，夏商之際已有形制較為複雜的青銅容器和兵器。商代中晚期在鑄造技術上有較大發展，器種增多，花紋精細，並開始有銘文。西周早期繼承晚商傳統，銘文加長。西周中晚期則有衰落趨勢，紋飾走向簡化，直到春秋中期才出現新的風格。春秋晚期到戰國時期，銅器普遍採用錯金銀、鎏金、鑲嵌、針刻等工藝，有很高的藝術價值。戰國晚期日用銅器增多，轉向規格化，作風樸素。秦漢時期繼續呈現這一傾向，多為素面，只有銅鏡的造型、花紋不斷翻新。

**一
司母戊大方鼎**

商代晚期青銅器。1939 年出土於河南安陽武官村。其平面呈長方形，四足，通高 133 厘米，橫長 110 厘米，寬78 厘米，重 875 公斤，腹內有銘文「司母戊」（或釋為后母戊）。現藏中國國家博物館。

**一
利簋**

西周早期青銅器。作器者名利。1976 年在陝西臨潼出土，現藏臨潼博物館。簋通高 28 厘米，口徑 22 厘米。深腹，圈足下附方座。雙獸頭耳垂珥。腹和方座飾獸面紋、夔紋，圈足飾夔紋，都以雲雷紋為底，方座平面四角還飾有蟬紋。簋腹內底有銘文三十二字，記述周武王征商，在甲子日早晨，歲星正當其位，攻克商都。八天之後辛未日，周武王賞有司（官名）利以銅，即作此器。其甲子紀時可與相關文獻記載互為印證。

**一
大盂鼎**

西周早期青銅器。作器者名盂。相傳清道光初年出土於陝西岐山禮村，現藏中國國家博物館。鼎通高 102.1 厘米，口徑 78.4 厘米，腹徑 83 厘米，重 153.5 公斤。口沿下及足上部均飾饕餮紋，足上部有扉棱。腹內有銘文

二百九十一字，記述周康王對盂的冊命賞賜諸事。當年與此鼎同出者尚有另一件盂所作之鼎（現已失傳，僅存銘文拓本），因規制較小，被稱為小盂鼎，此鼎則相應被稱為大盂鼎。

毛公鼎

西周晚期青銅器。作器者為毛公瘖。相傳清道光末年出土於陝西岐山，現藏台北故宮博物院。鼎通高 53.8 厘米，口徑 47.9 厘米，腹圍 145 厘米，重 34.7 公斤。口沿下有兩周弦紋，中填重環紋。立耳高大，半球狀腹，獸蹄形足。腹內有銘文四百九十七字，記述周宣王對毛公瘖的冊命賞賜諸事。

陶文

刻印在陶器或封泥上的文字。在新石器時代的陶器上已可見到刻畫的各種單體符號，許多符號可能已是文字的萌芽。在山東鄒平縣丁公龍山文化遺址出土的一塊泥質灰陶片內側刻有十一個字（符號），刀法流暢，筆力均勻，字跡較為清楚，但皆用連筆刻寫，目前尚未讀通。商周時期陶器的刻畫符號逐漸增多，有些可判讀為數目字、人名等。春秋戰國時期，陶器上出現打印上的陶文戳記，多為地名、人名、官名等。戰國秦漢之際，陶文亦用於封泥，即在封緘公文或書信時在竹簡外再加一檢（刻有橫向小木槽的木片），用繩索將檢捆縛起來，在槽內捺上一塊濕泥將繩結蓋住，再用印章在泥上打出印文，亦多為地名、官名等。

甲骨文

商周時期刻寫在龜甲和獸骨上的文字，用於占卜記事，是中國已發現的古代文字中時代最早、體系較為完整的文字。甲骨文以象形、假借、形聲為主要造字方法，已具備後世漢字結構的基本形式。從語法上看，甲骨文中有名詞、代名詞、動詞、形容詞等，其句子形式、結構序位也與後代語法基本一致。甲骨文一般先刻豎畫，後刻橫畫，先刻兆序、兆辭、吉辭、用辭，後刻卜問之事，故又稱為卜辭。其中有的在刻畫上塗朱砂或墨，有的用毛筆寫

在甲骨上，也有些是先寫後刻的。迄今已發現有字甲骨約十五萬片，共有四千多個單字。

一 甲骨學

有關商周時期龜甲和獸骨所刻寫文字及占卜遺痕等方面的研究。興起於清末殷墟（今河南安陽西北小屯一帶）發現商代甲骨文，後又在周原（今陝西岐山、扶風交界地帶）等地發現西周時期的甲骨文，研究範圍擴展至西周時期，主要包括搜集整理經科學發掘出土及傳世的甲骨文，辨偽存真、墨拓摹寫、比對綴合、分期分類、著錄彙編、釋讀文字、探究卜法文例及其所反映的這一時期社會諸問題。

一 金文

中國古代青銅器上的銘文。就今所見，以屬於商周時期者居多。商代及西周時期的文字均係鑄成，一般為陰文，個別為凸起的陽文。商代銘文簡短，或為器主族氏、名字，或為所祭祀先人的稱號等。西周時期出現長篇銘文，記述相關事件。迄今發現銘文最長者是毛公鼎銘，達四百九十七字。西周早期金文字體多雄肆，中期則轉趨規整，格式也逐漸固定化。春秋時期逐漸呈現出區域性的特點，如秦國銘文字體與東方列國不同，已開後世秦篆之先。春秋中期開始出現個別刻成的銘文，在銘文中錯金也有發現，如南方各國流行以鳥形作為裝飾的美術字體，即所謂「鳥書」。戰國中晚期銘文以刻成的為主，內容轉為「物勒工名」，即記載器物的製造者、使用者、置用地點、容積重量等。秦漢時期相沿，而格式更為規整統一。魏晉以後的青銅器物，有的仍有文字，但已不在金文範疇之內。

一 帛畫

一般指傳統絹本畫以前的以白色絲帛為材料的繪畫。已發現的帛畫主要屬先秦到漢代物。在長沙陳家大山戰國楚墓中所出帛畫原在一竹筒上，長 31 厘米，寬 22.5 厘米。畫上有一女子立於新月物上。在長沙子彈庫戰國楚墓中所出帛畫長 37.5 厘米，寬 28 厘米，上緣裏有一根細竹條，繫有棕色細繩，右緣和下緣未經縫紉。畫上有一男子

馭龍而行。在長沙馬王堆一號和三號漢墓中各出土一幅彩繪帛畫，二者均作Ｔ字形，長２米許，寬近１米，下垂的四角有穗，頂端繫帶以供張舉。其構畫基本一致，上段繪日、月、升龍和蛇身神人等圖形，象徵天上境界；下段繪交龍穿璧圖案，以及墓主出行、宴饗等場面。這些帛畫當均屬當時葬儀中必備的旌幡。

帛書

又名繒書。在白色絲帛上寫成的文書。其起源可上溯到春秋時期，但實物則以屬戰國中晚期的長沙子彈庫楚墓出土者為最早。帛書寬38.7厘米，長47厘米。文字為墨書，計九百餘字，字體是楚國文字；圖像則為彩繪，先用細筆勾勒，再填以彩色，至今仍較鮮明。當屬戰國時期數術性質的佚書。在長沙馬王堆漢墓出土的帛書大部分寫在寬48厘米的整幅帛上，摺疊成長方形；少部分書寫在寬24厘米的半幅帛上，用木條將其捲起。出土時前者摺疊處已經斷裂，後者粘連破損也很嚴重。經過細心修復、整理和考訂，可判明有二十八種，計十二萬餘字，絕大多數是古佚書。帛書在書寫之前，有的用朱砂在帛上畫出寬0.7至0.8厘米的界格，寬幅的滿行六十至七十字或稍多，窄幅的滿三十餘字。凡有篇題的，都寫在末行空白處，有些還記明字數。

韶樂

虞舜時樂舞。或作簫韶、韶箾、九招。韶字通紹，意為繼續。以舜能繼堯之德，故稱韶樂。簫與箾同，為樂器名。演奏時用簫等樂器，故稱簫韶、韶箾。其樂舞分為九成，即九個樂章，互有變化，故稱九招（招與韶同）。相傳演奏此樂舞，可引來鳳凰及百鳥雲集。

編鐘

古時樂器。將大小不同的銅鐘懸掛在鐘架上，順次排列，用木槌擊鐘以演奏樂曲。經考古發掘出土的商周時期編鐘已超過四十套。商代的編鐘為三枚一套或五枚一套，西周中晚期有八枚一套的，東周時期增至九枚或十三枚一套。鐘的隧部和右鼓（或左鼓）部木槌敲擊時可發出兩個

不同的音，有人稱為正鼓音（或稱鼓中音）和側鼓音（或稱鼓旁音）。戰國早期曾侯乙墓出土的編鐘是中國迄今發現的數量最多、保存最好的一套，有編鐘六十四件，加楚惠王贈送的鎛一件，計六十五件，依大小和音高為序編成八組，懸掛在三層鐘架上。鐘架為銅木結構，呈曲尺形，全長 10.79 米，高 2.67 米，出土時仍矗立如故，並能演奏多種樂曲。

投壺

古時宴會上的一種娛樂活動，由西周時期射禮演變而來。春秋時期貴族士大夫多不善射，即在宴飲席上以酒壺的壺口為靶子，以矢投壺代射。所用之壺一般頸長七寸，腹長二寸，口徑二寸半，壺中裝有小豆。矢有三種，長二尺、二尺八寸和三尺六寸，分別用於室內、堂上和庭中。投壺時要擊鼓奏樂，並有許多繁瑣的禮節。賓主站在離壺二矢半處相投，以中者多少決定勝負，負者罰酒。秦漢以後，投壺逐漸擺脫了古禮的束縛，更加遊戲化，所用器具亦有所改進。

射禮

古時習射之禮。周代分為四種，周王及諸侯擇士、祭祀時所行者稱大射禮，諸侯朝見周王或諸侯相朝時所行者稱賓射禮，閑暇宴飲時所行者稱燕射禮，鄉老和鄉大夫在鄉間所行者稱鄉射禮。不同的射禮舉行之處及所用箭、侯（即靶子，用布或獸皮製成，上畫虎、鹿等獸形）都各有規定，大射在郊外射宮，用四尺大小的皮侯；賓射在朝宮，用二尺大小的糜侯；燕射在寢宮，用四寸大小的獸侯。射時都要配以禮樂，並有不同禮儀，射中後用「算」來計數。

六藝

古時教學內容，包括禮、樂、射、馭、書、數六門課程。據《周禮·地官·保氏》所記，一曰五禮，即吉禮、凶禮、賓禮、軍禮、嘉禮；二曰六樂，即《雲門》、《大咸》、《大韶》、《大夏》、《大濩》、《大武》；三曰五射，即白矢、參連、剡注、襄尺、井儀；四曰五馭，即鳴和鸞、逐水曲、過君表、舞交衢、逐禽左；五曰六書，即象形、

會意、轉注、處事（指事）、假借、諧聲（形聲）；六曰九數，即方田、粟米、差分、少廣、商功、均輸、方程、贏不足、旁要。

諸子百家

春秋戰國時期所形成的各個學派。諸子即指學派的代表人物，如儒家的孔子、孟子，道家的老子等。百家即指各個學派，《漢書‧藝文志》根據劉歆《七略》的《諸子略》，分為儒、道、陰陽、法、名、墨、縱橫、雜、農、小說等十家，又著錄各家著作凡一百八十九家，四千三百二十四篇。

《周易》

儒家經典。一名《易》，又稱《易經》，包括經和傳兩部分。經本是占筮書，占筮即算卦，用以預卜吉凶。其基本因素為陽爻（一）、陰爻（－－），把一和－－疊列為三層，形成八種組合形式，即構成八卦；八卦的卦象兩兩重疊，構成六十四卦、三百八十四爻。經包括六十四卦的卦象、卦名、卦辭、爻辭四部分。卦辭是解釋全卦的含義，爻辭是解釋每一爻的意義。其傳的部分稱《易傳》，或稱《易大傳》，是最早解釋《周易》的著作，包括《彖傳》上下、《象傳》上下、《繫辭傳》上下、《文言》、《說卦》、《序卦》、《雜卦》七部分共十篇，稱為《十翼》。翼即羽翼，表明《十翼》旨在輔助闡釋《易經》。舊說伏羲畫八卦，周文王演《易》，重之為六十四卦，孔子作《十翼》。一般認為八卦起源於上古，卦辭、爻辭形成於西周初期，《易傳》導源於孔子而由儒家後學在戰國時期寫成。《周易》用卦象說明陰陽二者之間的矛盾變化，反映了古人某些樸素辯證法思想。

《尚書》

儒家經典。又稱《書》或《書經》。「尚」的意義是上古，「書」的意義是書寫在竹帛上的歷史記載，所以「尚書」就是「上古的史書」，主要記載虞、夏、商、周幾代統治者的言行。其經過長時間傳承，在周代彙編成書。秦始皇焚書坑儒後，漢初唯有秦博士伏生等所藏《堯典》等

二十九篇得以流傳。因其用漢代通行的隸書所寫，故稱今文《尚書》。西漢中期以後又陸續出現幾次先秦時期留下的寫本，稱為古文《尚書》，其中有許多篇不見於今文《尚書》。西晉永嘉之亂，文籍喪失，今、古文《尚書》均散亡。東晉初年，梅賾獻上一部用「隸古定」字體（即用隸書筆法按古文字體寫定）寫的古文《尚書》，共五十八篇。而後漸得《書經》的正統地位而流傳下來。唐宋以後多有學者對東晉《尚書》的真偽提出辨析考證。

《詩經》

儒家經典。亦稱《詩》，為中國第一部詩歌總集，經商周時期長期傳誦，春秋時期彙編成集，相傳曾經孔子刪定。《詩經》共三百零五篇，分風、雅、頌三部分。風包括十五國風，是各國的土樂民歌；雅包括《大雅》和《小雅》，為士大夫的樂歌；頌包括《周頌》、《魯頌》、《商頌》，分別為周人、魯人、商（宋）人祭祀、追思先祖的樂歌。至漢初，傳詩者有申培的魯詩、轅固生的齊詩、韓嬰的韓詩、毛亨和毛萇的毛詩，互有異同。東漢以後毛詩顯盛，流傳至今，其餘三家詩陸續失傳。

《楚辭》

詩歌總集。漢代劉向所輯為十六篇，今本為十七篇，係王逸所增。其內容包括屈原的《離騷》、《九歌》、《天問》、《九章》、《遠遊》、《卜居》、《漁文》、《招魂》以及宋玉、莘景差等人的作品。屈原，名平，戰國楚貴族，官至左司徒。因懷才不遇、壯志未酬，又遭楚王聽讒放逐，遂自沉於汨羅江。他在楚國民間歌謠的基礎上，創造了中國詩歌的新形式——「騷體」。其詩傳世者二十三篇，不僅洋溢着強烈的愛國熱情與戰鬥精神，而且富有浪漫主義的瑰麗色彩。它與《詩經》被譽為中國文學史上兩座巍然兀立的高峰，並稱「風騷」，影響十分深遠。

《論語》

儒家經典。為孔子弟子及其後學記述儒家創始人孔子言行的語錄體著作，編纂者為孔門再傳弟子，成書時代當在戰國時期。漢代有魯人所傳的《魯論語》、齊人所傳的

《齊論語》、出於魯城（今山東曲阜）孔子舊宅壁中的《古論語》三種本子，篇數、章次、文字和解說上互有不同，經張禹、鄭玄等講授、整理，《魯論語》得以傳承。今傳本《論語》的篇章即依《魯論語》而定，共二十篇。其全面記述孔子的社會政治思想、哲學思想、倫理思想及教育思想等。

《孟子》

儒家經典。孟子（約公元前 372—前 289）及其弟子萬章等著，一說為其弟子、再傳弟子所記。《漢書・藝文志》著錄十一篇，今存七篇。與《論語》、《大學》、《中庸》合稱「四書」，為宋元以後士人必讀之書。主要內容除記述孟子的政治活動外，主要闡述其關於「仁政」、「王道」、「性善」及「修身」等思想。孟子為戰國魯鄒邑（今山東鄒城）人，受業於子思的門人，形成思孟學派，係孔子之後儒學的主要代表人物，有「亞聖」之尊稱。

《左傳》

編年體史書。亦稱《左氏春秋》、《春秋左氏傳》。作者為春秋時期魯國史官左丘明。其以《春秋》為綱，博採當時其他史籍以及流傳於口頭的史實，詳細記述了上起魯隱公元年（公元前 722）、下至魯悼公十四年（公元前454）間發生的政治、經濟、外交、軍事、災異等方面的重大事件（比記事止於魯哀公十六年的《春秋》多二十七年），並通過當事人口述追記了許多遠古至夏、商、西周時期史事及典章制度等。漢以後，《左傳》與《公羊傳》、《穀梁傳》被合稱為《春秋》三傳。

《國語》

記述西周春秋時期周王及魯、齊、晉、鄭、楚、吳、越等國史事的國別史，亦稱《春秋外傳》。全書二十一卷。相傳為春秋末魯人左丘明所作。左丘明是略早於孔子的著名瞽矇（盲史官），其講述的史事被後人筆錄成書，稱為《語》，按國別區分即為《周語》、《魯語》等，總稱為《國語》。西晉時曾在魏襄王墓中發現大量寫在竹簡上的古書，其中有《國語》三篇言楚、晉國事，表明戰國時期該書已

流行於世。今本《國語》大約就是這些殘存記錄的總集。由於是口耳相傳的零散原始記錄，其內容偏重於言辭，在國別和年代上也很不平衡。三國時吳人韋昭為《國語》作注解，流傳至今。

《戰國策》

記述戰國時期縱橫家說辭及權變故事的史書。原作於不同時期，成於多人之手。西漢末年，光祿大夫劉向奉詔校書，見到皇家藏書中有六種記載縱橫家說辭的寫本，內容龐雜，編排錯亂，文字殘缺，便依據國別，略以時間編次，定著為《戰國策》。東漢時期有高誘為此書作注解。後又經多次修訂，今傳本《戰國策》按東周、西周、秦、齊、楚、趙、魏、韓、燕、宋衛、中山，分國編次，共三十三篇，四百六十章（或分為四百九十七章）。其所記史事上起周敬王三十年（公元前 490）知伯滅范、中行氏，下迄秦始皇二十六年（公元前 221）統一六國後高漸離以筑擊秦始皇，反映了這二百七十年中重要的政治、軍事和外交活動。

《竹書紀年》

戰國時期魏國史書。該書原無名題，後世以所記史事屬於編年體，稱為《紀年》。又以原書為竹簡，也稱為《竹書》。一般稱《竹書紀年》。其在晉初出土於汲縣（今河南汲縣西南）古墓中，故亦稱《汲冢紀年》、《汲冢古文》或《汲冢書》。全書凡十三篇，敘述夏、商、西周、春秋及戰國史事，按年編次。周平王東遷後用晉國紀年，三家分晉後用魏國紀年，至「今王」二十年為止。作者當是魏襄王時期的史官。其所記載史事與《史記》等不盡相同，對古史研究有較大價值。原簡可能在永嘉之亂時亡佚，而後有晉時整理本傳抄流行。至唐宋之際，整理本亦逐漸散佚。元明之際出現《竹書紀年》刻本，春秋戰國部分均以周王紀年記事，一般稱為「今本」。學者多認為是偽書。清代以來有學者輯錄晉以後類書古注所引的佚文，加以考證，稱為「古本」。

《墨子》

墨子及其後學著作。墨子名翟，春秋戰國之際魯國人，創立墨家學派，主張兼愛非攻、天志明鬼、尚同尚賢、節用節葬。《漢書·藝文志》著錄《墨子》有七十一篇，後亡佚十八篇，故今傳本《墨子》僅五十三篇。其中較能代表墨子學說和思想者有《尚賢》、《尚同》、《兼愛》、《非攻》、《節用》、《節葬》、《天志》、《明鬼》、《非樂》、《非命》等，其餘大都為墨家後學所作。其中《經》、《經說》和《大取》、《小取》，均屬名辯之作，以討論人的認識論和邏輯學等問題為主，稱《墨經》，或稱《墨辯》。

《孫子兵法》

古代兵書。又稱《孫子》、《吳孫子兵法》、《孫武兵法》等。作者為孫武，春秋末年齊國人，以兵法十三篇求用於吳王闔閭，被拜為將。《孫子》全書共十三篇，敘述簡潔，內容富於哲理性，對歷代行師用兵、講習武備影響至深，許多膾炙人口的名言至今仍被廣泛傳誦。1972 年在山東臨沂銀雀山漢墓出土有竹簡本《孫子兵法》，其中有不少字句與今傳本不同，而與失散在漢唐舊籍中的《孫子》引文比較接近，是了解《孫子》的流傳和校勘《孫子》的寶貴資料。另有五篇《孫子》佚文為研究漢初佚篇《孫子》的面貌提供了新的線索。

《孫臏兵法》

古代兵書。古稱《齊孫子》。題名作者孫臏，據說為孫武後世子孫，戰國時期生於齊國阿、鄄之間（今山東陽谷、鄄城一帶），曾與龐涓在一起學習兵法，龐涓事魏惠王為將軍，使人召孫臏入魏，妒其賢而施以臏刑（剔去膝蓋骨），故世稱孫臏。後孫臏逃離魏國奔齊，出奇計大敗魏軍。最早明確記載孫臏有兵法傳世的是《史記》，《漢書·藝文志》著錄《齊孫子》八十九篇、圖四卷。唐以前散亡。1972 年在山東臨沂銀雀山漢墓出土竹簡本《孫臏兵法》，經整理，分為上、下兩編，上編是可以確定屬於《齊孫子》的十五篇，下編則是一些尚不能確定屬於《齊孫子》的論兵之作。根據簡文所記史事和人物，其成書年代當在齊宣王之後。

一《老子》

　　道家經典。又稱《道德經》。道家創始人老子所著。老子姓李氏，名耳，字聃，楚國苦縣（今河南鹿縣）厲鄉曲仁里人，曾為周王守藏室（藏書室）之史。孔子去周都洛邑，問禮於老子。老子修道德，其學以自隱無名為務，著書上、下篇，凡五千餘字，分為八十一章。今傳本上篇稱《道經》，下篇稱《德經》。而據長沙馬王堆漢墓出土帛書，則《德經》在前，《道經》在後，文字亦略有不同。亦有學者認為此書當為老子後學所編定，成於戰國時期。

一《莊子》

　　道家經典。莊子名周，宋國蒙（今河南商丘北）人，曾作過漆園吏，約生於公元前 4 世紀中葉，死於公元前 3 世紀初葉，是戰國時期道家代表人物。其崇尚自然，主張在現實生活中保持心靈的超脫，多藉寓言的形式來表達自己的見解。《莊子》一書經西漢時劉向編定，為五十二篇。今傳本僅三十三篇，分為內篇七、外篇十五、雜篇十一，是晉人郭象的定本。其中內篇為莊周自己的作品，外篇和雜篇可能摻雜有其門人和後來道家的著作。

一《荀子》

　　荀子著作集。荀子名況，字卿，趙國人，齊襄王時去齊國，在稷下學宮講學，曾「三為祭酒」，主持學宮。後去楚國，為蘭陵（今山東莒南）令。他是戰國末期最有影響的儒學大師，也被譽為這一時期諸家思想之集大成者。漢代因避漢宣帝諱，改稱孫卿。其著作《漢書‧藝文志》著錄為《孫卿子》三十三篇。而據劉向所述，所見荀子著作凡三百三十三篇，除去重複者編定為三十二篇，與今傳本相同。唐楊倞注此書時改為二十卷。楊倞以為書中的《大略》到《堯問》六篇當是後人所作。

一《韓非子》

　　韓非著作集。又稱《韓子》。韓非（約公元前 280—前 233）為韓國人，是戰國末期法家代表人物。主張法、術、勢相結合的法治理論。其著述在生前即已流傳。西漢時劉向校書，屬入他人著作，如《初見秦》、《有度》和《存韓》的後半篇，編定《韓子》為五十五篇，相傳至今。

周公

周初政治家。名旦，為周文王之子，周武王之弟。因采邑在周（今陝西岐山縣北），稱為周公。周文王死後，周公輔佐周武王克商，建立周朝。周武王死後，其子周成王年幼即位，周公攝政，親率師東征，平定三監之亂。後又與召公主持營建東都成周（今河南洛陽），並歸政於成王，自己留守成周，與召公「分陝而治」，即負責治理陝原（今河南陝縣西）以東地區。在此期間周公「制禮作樂」，在建全西周各種典章制度及文化教育方面亦多有建樹。

管仲
（約公元前 730 —前 645）

春秋時期齊國名相，名夷吾，字仲，亦稱管敬仲。潁上（今安徽潁上縣）人。他輔佐齊桓公治理齊國，實行一系列改革措施，促進生產發展，增強國力，並以「尊王攘夷」相號召，維護周襄王的正統地位，救存被狄人攻滅的邢、衛二國，多次與諸侯國盟會，使齊桓公首獲霸主地位。其思想主張彙編為《管子》一書。今傳本《管子》由西漢時劉向編定，原為八十六篇，現存七十六篇。

五羖大夫

春秋時期秦國授予百里奚的爵位稱號。羖謂黑色公羊。百里奚原為虞國大夫，晉滅虞國，虞君及百里奚被俘虜。後秦穆公迎娶晉國公主為婦，百里奚作為隨嫁奴僕來到秦國。不久，百里奚從秦國逃走，來到楚國宛（今河南南陽）地，被楚人抓捕。秦穆公聞知百里奚賢能出眾，想用重金贖回，又恐楚人不肯，就派人與楚人講，秦穆公夫人的隨嫁奴僕在此，請用五張黑色公羊皮贖買。楚人立即答應。當時百里奚已七十餘歲。回到秦國後，秦穆公親釋其囚，詢問國事，授以政事，號稱五羖大夫，屬大夫一級。

子產
（？—公元前 522）

春秋時期政治家，鄭國執政。鄭穆公之孫，名僑，亦稱公孫僑。在與諸侯國交往中，子產不卑不亢，盡量維護鄭國的權益。治國理政務實求穩，對傳統舊制力求維護，而為適應形勢變化亦進行必要的改革，如「鑄刑書」，公佈成文法典。他不毀鄉校，允許國人議論政事，並願從中吸取有益建議。其政績受到普遍讚揚。

戰國時期秦國政治家。姓公孫，衞國貴族，又稱衞鞅或公孫鞅。秦孝公下令求賢，商鞅赴秦國，以變法強國之術說孝公，孝公乃以商鞅為左庶長，實行變法。秦國由此走向富強，商鞅升為大良造。秦孝公二十一年（公元前342），秦出師攻魏，魏公子卬率軍拒之，商鞅用詐謀虜取公子卬而破其軍，魏割河西地向秦求和。商鞅以此戰功受封商、於（今陝西商縣、河南西峽一帶）十五邑，號稱商君。商鞅變法期間，因太子駟犯法，曾對其師傅公子虔施刑。秦孝公死後，太子（惠王）即位，公子虔為報夙怨，告商鞅有謀反企圖，派官吏逮捕。商鞅打算逃入魏國，魏人因公子卬曾中計而喪師，拒不接納。商鞅不得已而歸秦，乃與其徒屬發兵攻鄭（今陝西華縣），兵敗被俘。惠王車裂商鞅，並滅其族。其有關言行，後編為《商君書》。

秦英

皇帝

中國古代王朝君主稱號。始於秦。夏商周三代君主（即天子）稱王，分封的諸侯無權稱王。戰國後期，周天子地位衰微，諸侯國君相繼僭越稱王。公元前 221 年，秦統一中國後，秦王嬴政認為不變更君主稱號，不足以彰顯其統一天下的豐功偉業，於是，從傳說的泰皇（當時將天皇、地皇、泰皇稱「三皇」）和上古五位有德君主「五帝」中各採一字，創立皇帝稱號。同時廢除謚法，以數字為序，自己為「始皇」，意為第一位皇帝。建立一整套皇帝制度，如皇帝自稱「朕」，命、令分別稱「制」、「詔」，印稱「璽」。自此皇帝成為中國歷代王朝最高統治者的通稱，沿用兩千餘年，至 1912 年清帝退位。

謚法

中國古代帝王、諸侯、大臣等死後，朝廷根據他們生前的事跡和品德，評定一個帶有褒或貶義的稱號，稱「謚號」。這種評定的方法稱「謚法」。謚的本意是行為之跡。謚法始於西周，至春秋時逐漸完善。秦始皇統一中國後，認為謚法由臣、子議論、評定君、父是不敬的做法，廢而不用，改以數字為序號。漢初恢復，一直沿用至清。除帝王、大臣死後由朝廷定謚外，自東漢起還有私謚，大多是士大夫死後由其親族、門生、故吏為之立謚。

廟號

古代帝王死後，在太廟立室奉祀所稱尊號。廟號在商朝已出現，如太甲稱太宗。初以「祖有功而宗有德」為原則，稱開國君主為祖，繼嗣君主有治績者為宗。東漢以後漸濫，繼嗣君主除少數外，皆稱宗。稱祖也不嚴格，明朝開國皇帝朱元璋的廟號為太祖；其子朱棣的廟號最初為太宗，嘉靖年間改為成祖。

公卿

中國古代官吏最高的兩個層級，其下為大夫、士。戰國時期，應建立大一統國家的需要，在先秦卿大夫士制度

的基礎上，形成公卿大夫士的說法。秦統一後，以丞相為公，御史大夫等中央二千石官為卿。漢文帝時，為了加強中央集權，提高卿的秩級為中二千石，以與地方郡守、尉和諸侯王官屬的二千石官相區別。此後，經漢武、成、哀、平帝的改革，至東漢光武帝，始確立三公九卿制度。三公為太尉、司徒、司空，九卿為太常、光祿勳、衛尉、太僕、廷尉、大鴻臚、宗正、大司農、少府。

二千石

祿秩等級，始於秦。秦及漢初，二千石為丞相之下的最高秩級，御史大夫、奉常等中央列卿及郡守、尉均列此秩。漢文帝以後，二千石分為三等：太常等中央列卿為中二千石，月俸百八十斛；太子太傅、將作大匠、郡太守、王國相為二千石，月俸百二十斛；郡尉等為比二千石，月俸百斛。二千石也用作這一秩級官員的統稱。

中朝

漢代朝官自武帝以後有中朝、外朝之分。丞相以下至六百石官為外朝；大司馬、左右前後將軍、侍中、常侍、散騎諸吏為中朝。中朝官可出入宮禁，參與決策，為武帝所親任，故也稱內朝。外朝官職權因此被削弱。武帝臨終前，遺詔霍光為大司馬、大將軍，輔佐年幼的昭帝，大司馬領中朝，遂取代丞相成為權力中心。

博士

中國古代官名。始於戰國。秦始皇時有博士七十人，六藝、諸子、詩賦、術數皆立博士。漢承秦制。掌通古今，備皇帝顧問。漢武帝罷黜百家，獨尊儒術，設《詩》、《書》、《易》、《禮》、《春秋》五經博士。並採納董仲舒建議，建立太學，設博士弟子員五十人，自此教授、課試弟子成其主要職責。平帝時立古文經博士，東漢光武帝時廢。博士之制延續至清，代有增損。

郎吏

指郎中、中郎、侍郎等職，也稱郎官。始於先秦。秦漢時屬郎中令（漢武帝時改為光祿勳），職掌守衛宮殿門戶，出充車騎，為皇帝近衛官。西漢時置議郎，掌顧問應

對。漢武帝時還設期門、羽林等郎。東漢時尚書台為政務中樞，分曹理事，初入台稱守尚書郎中，滿一年稱尚書郎，三年稱侍郎。郎吏是秦漢高級官吏的主要來源，漢初多從高官及富家子弟中選拔，武帝以後察舉也成為重要的選拔途徑。魏晉以後，郎漸演變為職官，隋唐以後六部皆置郎中。此外又設員外郎，為散官。

太學

中國古代國家學校。始於漢武帝。漢武帝罷黜百家，獨尊儒術，建元五年（公元前 136），立五經博士。此後又採納董仲舒建議，在京師長安建立太學，置博士弟子五十名，由博士教授五經。此後弟子人數屢有增加，東漢時曾多達三萬人。弟子每年考課，合格後可補任官員，是國家培養官吏後備人才的重要途徑。魏晉至明清或設太學，或設國子學，或兩者同時設立，均為傳授儒家經典的最高學府。

三服官

漢官署名，主作皇帝冠服，設於齊地臨淄（今山東臨淄）。一說三服指分作春、冬、夏三季服裝的三個官署，故稱。漢初規模較小，後逐漸擴大，元帝時作工各數千人，一年費數億錢。

上林三官

漢武帝時設在上林苑主持鑄造錢幣的三個官署，即均輸、鐘官、辨銅，其長官為令，隸屬水衡都尉。武帝元狩五年（公元前 118），始發行五銖錢。郡國均可鑄造，盜鑄猖獗。元鼎四年（公元前 113），武帝下令取消郡國鑄幣權，由上林三官統一鑄造，提高鑄造技術，防止盜鑄。貨幣從此穩定下來，五銖錢長期使用。上林苑為秦漢時重要皇家園林，在今西安西及周至、戶縣界。

鄉

基層行政區劃單位。始於先秦。傳說周制，一萬二千五百家為一鄉。春秋戰國時期，各國普遍設鄉長，約二三千戶為一鄉。秦漢時期，是縣之下的最低一級基層行政組織。鄉設三老掌教化，有秩、嗇夫主民政，遊徼負責緝拿盜賊。

一亭

古代地方基層行政組織。始於先秦。秦漢時期，縣下設亭，是與鄉平行的機構。負責維持地方治安，逐捕盜賊，接待來往官吏，傳送文書等。長官稱亭長。設於縣治所的亭，稱都亭。

一里

古代地方基層組織。始於先秦。秦漢時期，鄉下設里。里置里正或里典，協助縣、鄉徵發賦役，管理里內事務。是受國家控制的基層組織，而非一級行政單位。

一臨朝稱制

指太后當政，代行皇帝職權。臨朝，指臨御朝廷，處理政事。制，皇帝命令文書的一種，一般情況下太后不得稱。稱制，意為太后代行皇帝職權，所下命令也可稱制書。始於漢高祖呂太后。惠帝死後，太子立為皇帝，年幼，於是呂后臨朝執政。後代幼弱皇帝即位，多沿襲此制。

一察舉制

漢代最重要的一種選官制度。秦及漢初，作為高級官吏重要來源的郎吏主要通過「任子」和「貲選」方式選拔。任子，指二千石以上高官任職三年以上，可保舉子弟一人為郎。貲選，即具備一定家資可為郎。這兩種方式不利於廣泛選拔、任用人才。漢文帝時，下詔令地方郡國推舉賢良、方正、能直言極諫者，開察舉制之始。武帝元光元年（公元前 134），在董仲舒建議下，命郡國每年舉孝、廉各一人，遂成制度，稱「舉孝廉」。此後科目逐漸增多，制度也逐步完善。察舉制拓寬了人才選拔的範圍，並成為兩漢士人最重要的入仕途徑。

一賢良

古代選拔官吏的科目之一。亦為「賢良文學」、「賢良方正」的簡稱。漢文帝前元二年（公元前 178），下詔令郡國推舉賢良方正、能直言極諫者，為舉賢良之始。由通古今制度的文學之士充選，以對策回答皇帝有關治政的策問。

一六條問事

漢代州刺史職責。漢武帝元封五年（公元前 106），將京畿以外地區分為十三州部，設刺史，秩六百石。職責

是定期巡視所部郡國，以六條監察地方郡守、尉、諸侯相等二千石官和強宗豪右，六條以外不問。六條包括：強宗豪右田宅逾越制度，以強凌弱，以眾暴寡；二千石不奉詔書，不遵守典制，以權謀私，侵漁百姓，聚斂為奸；二千石不恤疑案，教唆殺人，濫行賞罰，煩擾刻暴，為百姓所痛恨，妖言惑眾；二千石選拔僚屬不公，任人唯親，蔽賢寵頑；二千石子弟仗勢請託；二千石包庇罪犯，勾結豪強，收受賄賂，損害國家法令。

戶籍

中國歷代王朝為掌握戶口數量建立的以戶為單位的簿籍，是國家掌握人口、徵發賦役的依據。始於先秦。秦獻公十年（公元前 375），建立戶籍相伍制度。初期內容粗略，如不登記年齡，而登記身高。秦王政十六年（公元前 231），始登記男子的年齡。秦統一後，戶籍制度臻於完備，並為漢所繼承。每年八月由鄉進行戶口的查驗、登記。內容包括姓名、年齡、爵級、服役身份、籍貫、財產（田宅、奴婢、牛馬、車輛及其所值）等。戶籍簿一式三份，正本留鄉，副本一份給本人，一份上交縣。郡縣上計時將戶籍情況逐級上報中央。

二十等爵

秦國商鞅變法時，在原有爵制基礎上創建二十等爵，以賞軍功，激勵戰士。共分二十級，一級公士，二上造，三簪裊，四不更，五大夫，六官大夫，七公大夫，八公乘，九五大夫，十左庶長，十一右庶長，十二左更，十三中更，十四右更，十五少上造，十六大上造，十七駟車庶長，十八大庶長，十九關內侯，二十徹侯（後改為列侯）。以五大夫爵為界，以上（含五大夫）為官爵，以下為民爵。漢文帝以後，二十等爵逐漸式微，但分層的關鍵爵位如列侯、關內侯、五大夫仍具重要意義，並一直持續到三國時。

官爵

秦漢二十等爵中，五大夫以上（含五大夫）爵。與秩六百石以上官吏、公卿大夫爵位者地位相當，是當時的貴族階層。在政治、經濟、司法上享有各種特權，如可大量

佔有田宅，免除本人甚至親屬的賦稅徭役，減免刑罰，享有受教育和優先入仕的權力等。

民爵

秦漢二十等爵中，一級爵公士至第八級爵公乘。是庶民階層中有爵者。根據爵位等級，在政治、經濟、司法上享有一定特權，但其社會地位仍為庶民。

材官

秦漢設置的主要步兵兵種。材，指勇武有才藝者。材官主要用於山地險阻作戰。

黔首

庶民、平民的稱呼，始於先秦。黔，黑色。一說，因以黑巾裹頭，故稱。秦始皇統一中國後，信奉五德終始說，以為秦為水德。水德尚黑，故更名民為「黔首」。

贅婿

指因貧窮到女家成婚、定居的男子。所生子女從女方姓，承嗣女方宗祧。地位卑賤，受到法律和社會歧視。秦時為七科謫（即七類受到謫罰的人）之一，不能為官、佔田，常先於百姓被徵發戍邊、服賦役等。後世地位有所改變。

名田制

商鞅變法至西漢前期實行的土地制度。秦孝公時，商鞅推行變法，廢除定期分配土地的井田制，建立私人長期依法佔有的名田制。名，將田地標注為某人佔有。國家根據戶主的二十等爵級，劃分佔有耕地的標準，爵級越高名田越多，五大夫以上呈幾何數增加。名田可通過國家授予、繼承和買賣等手段獲得。秦統一後推行至全國，漢初沿用。文帝時，由於授受制度難以為繼，遂廢，不再限制佔有土地的數量。此後土地兼併惡性發展，成為嚴重的社會問題。

假民公田

漢代實行的將公有土地租借給無地農民耕種的制度。假，指借出或借入。漢文帝以後，由於名田制廢止，大量農民沒有土地，造成嚴重的社會問題。政府便採取將公有

土地租借給無地農民的政策，收取假稅性田租，緩解社會矛盾。以後歷代均有實施。

賦民公田

漢代實行的將公有土地無償租借給窮困農民耕種的制度。賦，賦予。漢文帝時期，名田制廢止，大量農民無法通過授田獲得土地，造成嚴重的社會問題。政府在假民公田的同時，還對特別窮困的農民，採取無償租借公有土地的政策，緩解社會矛盾。這一政策為後代所沿用，但名稱或有所不同。

酎金

漢代宗廟祭祀時，諸侯助祭所獻黃金。酎是一種自一月至八月分三次追加原料，反覆釀製的優質純酒，用於宗廟祭祀。漢文帝時規定，每年八月在首都長安祭高祖廟獻酎飲酎時，諸侯王和列侯要按封國人口數獻黃金助祭，每千口奉金四兩，皇帝親臨受金。由少府驗收黃金的分量、成色，如不足，王削縣，侯免國。

榷酤

古代國家酒專賣制度。也稱酒榷、榷酒。榷，原指獨木橋，此取獨專之意。酒、買賣酒均可稱酤。始於漢武帝天漢三年（公元前98）。昭帝以後廢置無常。後代或由政府設店專賣；或對酤戶及酤肆加徵酒稅；或將榷酒錢勻配，用以增加政府財政收入。

張楚

秦末農民起義領袖陳勝建立的政權。秦二世元年（公元前209）七月，陳勝、吳廣率九百戍卒，打出「伐無道，誅暴秦」的口號，在大澤鄉（今安徽宿州）起義，揭開秦末戰爭序幕。陳勝在攻下陳縣（今河南淮陽）後稱王，建國號「張楚」，意為張大楚國，以此號召楚地百姓。秦二世二年（公元前208）十二月，陳勝戰鬥失利，被叛徒殺害，張楚政權滅亡。

巫蠱

古代稱巫師使用邪術加害於人為巫蠱。蠱，毒蟲。漢武帝時盛行巫蠱，將仇人名字刻在木偶上，埋到地下，對

其進行詛咒。征和二年（公元前91）終爆發「巫蠱之禍」。使者江充因與太子劉據有隙，誣其為巫蠱，詛咒武帝。劉據起兵殺死江充，武帝派兵鎮壓，劉據兵敗自殺。

黨錮

東漢後期宦官專權，政治黑暗，士大夫疾之。桓帝延熹九年（166），士大夫領袖河南尹李膺因誅殺宦官親信，被宦官誣告與太學遊士結為朋黨，誹謗朝廷。桓帝下令將李膺等二百多人逮捕入獄。次年，雖赦免黨人，但禁錮終身，不得為官。靈帝建寧元年（168），太傅陳蕃、大將軍竇武執政，起用李膺等黨人，密謀誅宦官。事洩，陳蕃、竇武被殺。次年，靈帝再以結黨為名，處死李膺等一百餘人，受牽連者六七百人，親屬門生故吏皆被禁錮。黃巾起義爆發後，黨人被赦免。

五德終始說

戰國後期陰陽五行家鄒衍創立的學說。其說認為，世界由土、木、金、火、水五種元素組成，稱作五德。自然變化和王朝興衰均按五德相生相剋的順序，交互更替，周而復始。其說在秦漢時期甚為流行，統治者皆依此說確立其統治的合法性。

黃老無為

黃老是戰國時出現的哲學、政治思想流派。尊傳說中的黃帝和老子為創始人，故名。其思想實為道家和法家思想結合，並兼採陰陽、儒、墨等諸家觀點而成。在社會政治領域，黃老之學主張君主應「無為而治」，即順其自然，盡量減少主動行為和干預，而達到治世。漢初有鑒於秦速亡的歷史教訓以及社會經濟凋敝的現狀，黃老思想盛行，推行無為而治、與民休息政策，促進了社會經濟的迅速恢復發展。

王道、霸道

中國古代對君主兩種不同統治方式的稱謂。古稱有天下者為王，諸侯之長為霸。春秋戰國時期，統一成為大勢所趨，故當時人推崇夏商周三代之政，稱王道，認為這是一種以仁義道德教化治理天下的方式；而將春秋霸主憑藉

武力、刑罰、權勢等進行統治的方式稱霸道。由於儒家主張仁義禮智信，以德治國；法家主張君主集權，以法治國，因此後世也分別將王道、霸道作為儒、法兩家政治理念的代名詞。

王制

即天子制度。王，指周王，周天子。為大一統理論核心內容，流行於戰國秦漢。《荀子》、《禮記》皆有《王制》篇，記周王班爵、授祿、祭祀、養老等制。其主張只有統一天下的王（天子）才可使用王制，諸侯等不可逾禮使用。

大一統

春秋末期發展起來的王朝國家理論，流行於戰國秦漢，反映當時建立統一國家的歷史趨勢和人心所向。大，重視、尊重；一統，指天下諸侯皆統繫於周天子。其思想最早體現於儒家經典《春秋》中。《春秋公羊傳·隱公元年》：「何言乎王正月？大一統也。」後人解釋說：王者受命，制正月以統天下，令萬物皆奉之以為開始，故言大一統。《漢書·王吉傳》：「《春秋》所以大一統者，六合同風，九州共貫也。」後世因稱統一全國為大一統，據地一方為割據。

封禪

古代帝王祭天地的典禮，以表示受命有天下。在泰山上築土為壇，報天之功，稱封；在泰山下的梁父山上闢場祭地，報地之德，稱禪。其說起於戰國，是齊、魯思想家為了適應統一的趨勢而提出的祭禮。當時人認為泰山是世界上最高的山，受命帝王應到泰山上祭祀至高無上的上帝。第一個真正舉行封禪大典的是秦始皇。此後漢武帝、光武帝等均舉行過封禪禮。

巡狩

指天子離開國都，出行視察境內諸侯州郡。亦作巡守。出於《尚書·舜典》。其說法流行於戰國秦漢，是大一統理論的一部分，表示天子擁有一統天下。秦始皇和漢武帝均熱衷於這一理論。秦始皇統一中國後，曾五次出巡，最後一次病死在路上。

明堂

古代帝王宣明政教的地方。凡朝會、祭祀、慶賞、選士、養老等大典，均在此舉行。戰國秦漢時期成為大一統王制理論的重要內容，但關於其形制，眾說紛紜。王莽時托古改制，首建明堂。東漢光武帝中元二年（57），建明堂、辟雍、靈台，號三雍宮。明堂建於都城洛陽南郊，在此舉行祭天儀式。隋唐均有意修建明堂，但直至武則天時才綜合諸說創製明堂，號「萬象神宮」。北宋宋徽宗在汴梁宮城內修建明堂。明堂對中國禮制建築影響深遠，清北京天壇祈年殿和國子監辟雍均以明堂建築為原型。

辟雍

周天子為貴族子弟所設大學，用以行禮樂，宣德化。辟，通「璧」。取建築圓形，圍以水池，形如環璧為名。為三雍宮之一。王莽托古改制，建辟雍。東漢光武帝中元二年（57），建辟雍，在靈台之左。後代皆置，皇帝常親臨辟雍，講授經義。

靈台

古代帝王觀察天文星象之所，以知天意。為三雍宮之一。關於其形制，歷來說法不一。王莽托古改制，始建三雍宮。東漢光武帝中元二年（57），建三雍宮，靈台在辟雍之右。並在太常下設靈台待詔四十一人，分掌候星、日、風、氣、晷景、鐘律。後代沿置。

讖緯

中國古代讖書和緯書的合稱。讖是巫師、方士編造的預言吉凶符驗或徵兆的隱語、圖記，戰國時已出現。緯相對「經」而言，是方士化的儒生用詭秘語言解釋儒家經義的著作，西漢中後期出現，並迅速流行。其思想雜糅陰陽五行學說和董仲舒天人感應說。王莽、漢光武帝均利用圖讖，為其改朝易代製造根據。光武帝正式「宣佈圖讖於天下」，以至緯書稱「內學」，經書反稱「外學」。東漢時已遭有識之士的反對。南朝宋大明中，始禁圖讖，但直至宋代才禁絕。

太平道

東漢末道教派別之一。漢靈帝熹平年間，由鉅鹿（今河北平鄉）人張角創立。他自稱「大賢良師」，執杖畫符

誦咒，為人治病，傳播教義。十餘年間，發展信徒數十萬。張角分信徒三十六方，設將帥統率。宣傳「蒼天已死，黃天當立，歲在甲子，天下大吉」的讖語，預定中平元年（184，甲子年）起義。後因人告密，被迫提前起事。義軍以頭戴黃巾為標誌，故稱「黃巾軍」。後被統治者鎮壓，但太平道仍在民間秘密流傳。

五斗米道

東漢後期創立的早期道教流派之一。順帝時，張陵在蜀鶴鳴山中創立，自稱「天師」。信道者需出米五斗，故名。張陵死後，其子張衡、孫張魯世傳其道。張魯曾在益州建立政教合一的政權，自稱「師君」，割據二十多年。建安二十年（215），張魯被曹操招降，但五斗米道繼續流傳，後來發展為道教的主要流派「天師道」。漢末張修，晉陳瑞、孫恩、盧循等均奉此道聚眾起義。

私學

私人創辦的學校，與官學相對。特指習六經、諸子百家者，以師徒授受方式傳播學問和思想，傳承流派。

士大夫

官僚及知識分子的泛稱。源於先秦的大夫、士爵位。秦漢時期，以秩六百石至二千石者為大夫，五百石以下至二百石為士。亦泛稱官僚。此外，亦將具備一定專門知識或學以求仕進的學子稱士。後代漸演變為官僚、知識分子的通稱。

門生

漢代指轉相授業的再傳弟子。漢武帝「獨尊儒術」後，儒學成為入仕的重要途徑，公卿多出自經學大家，因此也招徒授業，聚徒常數百人，其親自授業者稱弟子，轉相傳授者稱門生。師傅與弟子、門生的關係，在現實中常轉換為利害相通的政治勢力。後世門生亦指親自授業的學生。

故吏

原來的屬吏。秦漢時期，低級官吏不由國家選拔，而由長官自行徵聘授職，稱辟除或辟署。漢初，任命百石以上掾史，尚需上報。後一律改為由長官自行辟除，均為百

石。這些官吏為了感謝辟除的長官，便易結成聲氣相通、利害一致的政治勢力。

方士

泛指通星相、求仙、醫、占卜、相、遁甲、堪輿等術之人。方指方技（伎）、方術。也稱術士，或稱有方之士。興起於戰國，秦漢後漸盛。秦始皇、漢武帝時方士最眾，對政治決策亦產生重要影響。

匈奴

戰國至魏晉時期活躍在北方草原地區的遊牧部族。起源尚無定論，戰國時始稱匈奴，也稱胡。以遊牧為業，善騎射。公元前 3 世紀末，征服鄰近各族，統一蒙古高原，建立國家政權。首領稱「單于」，下分左、右部。東漢光武建武二十四年（48）分裂為南北二部，北匈奴在公元 1 世紀末為漢所敗，部分西遷。南匈奴附漢，兩晉之交曾建立漢國和前趙國。

大月氏

古遊牧部族名。月氏的一支，原遊牧於敦煌、祁連山之間。漢文帝初年，因不敵匈奴的攻擊，西遷至今伊犁河上游流域，漢稱之為大月氏。文帝後元三年（公元前 161）左右，受烏孫攻擊，又西遷大夏（今阿姆河上游）。約在武帝元朔年間（公元前 129 或公元前 128），漢派張騫至其國，聯絡共同夾擊匈奴，未果。公元前 1 世紀，大月氏分為五翕侯。公元 1 世紀中葉，貴霜翕侯兼併其他四部，建立貴霜王國。大月氏的族屬問題，學界異說紛紜，持伊朗塞種說者較多。

烏孫

漢代至北魏西域國名。居於今新疆天山北麓伊犁河谷至中亞伊塞克湖一帶，都於赤谷城（今吉爾吉斯斯坦阿什提克）。原居敦煌、祁連山之間，漢文帝後期擊走大月氏，而居其地。武帝敗匈奴於漠北後，先後以江都王女細君和楚王孫解憂為公主，嫁烏孫昆彌（王），結和親。北魏時為柔然所破，徙往蔥嶺。其族屬尚無定論，有突厥族、亞利安族諸說。

夜郎

漢時西南地區古國名。約在今貴州西北、雲南東北及四川南部地區。秦及漢初,已進入定居農業社會。漢武帝建元六年(公元前135)遣使招撫,元光四至五年(公元前131—前130)在其地置數縣,為漢經營西南夷之始。元鼎五年(公元前112),武帝征南越,因夜郎等不聽調遣,於翌年發兵平定,在其地設牂柯郡(治今貴州關嶺境),但仍保留夜郎王號。西漢後期,夜郎與句町等連年攻戰。成帝河平二年(公元前27),牂柯太守殺夜郎王,夜郎國滅。

高句麗

秦漢至唐時在中國東北地區和朝鮮半島的民族和政權。也作高句驪、句麗。一般認為是夫餘人的一支。約在西漢時,高句麗人居於今吉林渾江(古稱沸流水)畔一帶,南接朝鮮。漢武帝元封四年(公元前107)在朝鮮建立四郡,設高句麗縣,為玄菟郡治。約在公元前37年建立國家。此後迅速擴張,逐步吞併周邊的夫餘、沃沮、東濊及漢四郡。與中原王朝斷續建立朝貢關係。5世紀進入全盛時期,控制了今朝鮮半島大部和今中國東北南部地區。隋唐時期,高句麗不斷與隋唐王朝交戰,國力衰落。668年為唐朝與新羅聯軍所滅。

玉門關

古關名。始置於漢武帝設立河西四郡、開通西域道路時。故址在今甘肅敦煌西北小方盤城。因西域輸入玉石時取道於此而得名,是中原地區通往西域的門戶,絲綢之路必經之路。漢時為都尉治所,是重要的軍事關隘。

陽關

古關名。始置於漢武帝時。在今甘肅省敦煌市西南古董灘附近。因位於玉門關以南而得名。漢時為都尉治所,是通往西域的重要關隘。

西域

漢代指玉門關、陽關以西,蔥嶺(即今帕米爾高原)以東,巴爾喀什湖東、南及新疆廣大地區。以天山為界,分為南北兩部,分佈着數十個大小不等的國家。漢武帝以

前，西域各國受匈奴控制和奴役。武帝擊退匈奴後，派張騫出使西域，與西域各國建立聯繫。宣帝神爵二年（公元前60），設西域都護府，治所在烏壘城（今新疆輪台東），並護南北道。西域正式納入漢的版圖。

一 絲綢之路

一般指歐亞大陸北部的商路，即以古代中國長安（今西安）為起點，經甘肅、新疆，到中亞、西亞，並連接地中海各國的陸上通道，以區別於後來出現的西南和海上絲綢之路。始於漢武帝時張騫出使西域。以漢都長安為起點，經河西走廊至敦煌，再分南北兩道。南道沿崑崙山北麓經和田至疏勒（今新疆喀什）；北道經羅布泊沿天山南麓經庫車、阿克蘇至疏勒。由疏勒越蔥嶺或南往印度，或西經波斯往地中海諸國。因中國西運的貨物以絲綢製品影響最大，故得名。通過絲綢之路，古代亞歐國家和人民互通有無，友好往來。

一 傳

古代過關津、驛站時使用的憑證、通行證。始於先秦。或用繒帛等絲織品製成，上書兩行字，一分為二，各持其一，出入關津時，相合乃得通過。或用木，稱棨傳，上刻符號，兩木相合，稱合符。

一 關市

古代設在邊境關口進行對外貿易的市場，也指邊境上的通商。始於先秦。關市原是關與市的合稱，後來多指關下所設的市。西漢時，對匈奴、南越都設有關市，前者又稱「胡市」。關市由政府嚴格控制管理，定期定時開放，商人須持政府頒發的符傳類許可證，按規定品種、數量進行交易，嚴禁從事違禁品的買賣以及擅自出關走私，違者處以重罪。

一 烽燧

古代邊塞觀敵報警系統。始於先秦。燧，設在邊塞上的一種亭，用於候望敵情和報警。烽是燔燒積薪所起煙火，以此為信號報警。漢代在北方長城沿線均設燧，燧隸屬都尉府，都尉下轄候官，候官下轄燧。燧發現敵情後，

點燃烽發出信號，由各燧依次傳遞，以達都尉府。

和親

古代王朝君主為了免於戰爭，通過締結婚姻與邊疆異族統治者建立友好關係的一種方式。始於漢高祖。高祖六年（公元前 201），匈奴攻打馬邑（今山西朔州），韓王信不敵投降。次年，高祖率三十二萬大軍前往征伐，在平城白登山（今山西大同東北）被匈奴圍困七日，僥幸脫險。高祖被迫採納大臣劉敬建議，與匈奴締結「和親」，選宮女為公主嫁給單于，每年餽贈大量絲綢、酒、食物，並開關市貿易。此後遂成慣例。

大篆

漢字書體名。相傳周宣王時太史籀所作，故亦名籀文或籀書。秦統一後，稱大篆，與小篆相區別。

小篆

秦代通行的書體。秦統一後，因各國文字不同，命丞相李斯等在史籀大篆基礎上簡化規範而成。亦稱秦篆，後世通稱篆書。

隸書

漢字書體名，由篆書簡化演變而成。始於秦。相傳秦始皇時，徒隸（刑徒）程邈曾對這種書體進行整理，後世遂有程邈創隸書之說。普遍使用於漢魏。

簡帛學

對簡牘、帛書等出土材料，應用文字學、歷史學等學科理論，從文字學、歷史學、考古學等角度進行綜合分析的一門學問。

睡虎地秦簡

1975 年底，在湖北省雲夢縣睡虎地秦墓中發現的秦簡牘，其中 11 號墓出土一千一百多枚竹簡，4 號墓出土兩塊木牘。竹簡的內容包括：《編年紀》【秦昭王元年（公元前 306）至秦始皇三十年（公元前 217）間國家與墓主家庭的大事年表】、《語書》（原題，南郡守發給屬縣的文書）、秦律的部分抄本【《秦律十八種》、《效律》（原題）、《秦律雜抄》】、《法律答問》（對秦律的問答體解釋）、《封診式》

（原題，治獄文書程序彙編）、《為吏之道》、《日書》（原題，時日禁忌）等。木牘的內容是家信。墓葬年代是秦始皇三十年或稍後，簡牘則有不少內容屬戰國末年史事。簡牘內容為秦史研究提供了大量珍貴的一手資料。

銀雀山漢簡

1972 年山東省臨沂銀雀山 1 號和 2 號漢墓出土的漢代竹簡。墓葬年代當在漢武帝在位期間。簡文字體屬早期隸書，竹簡的抄寫年代當是漢文帝、景帝至武帝初期。完整簡、殘簡共計有四千九百四十二枚，另有數千殘片。其內容包括《孫子兵法》、《孫臏兵法》、《六韜》、《尉繚子》、《晏子》、《守法守令十三篇》、《元光元年曆譜》等先秦典籍。

《史記》

西漢司馬遷撰寫的中國第一部紀傳體通史。司馬遷，左馮翊夏陽（今陝西韓城）人，字子長。武帝元封三年（公元前 108）繼承父親司馬談之職，任太史令，不久開始撰修《史記》。後因替敗降匈奴的李陵辯護，被處以腐刑。他發憤著書，立志「究天人之際，通古今之變，成一家之言」，最終完成《史記》。《史記》原稱《太史公書》，包括十二本紀、十表、八書、三十世家、七十列傳，共一百三十卷，五十二萬餘字。上起黃帝，下至漢武帝，內容涉及社會各方面，不虛美，不隱惡，不受正統思想的束縛，真實、生動地再現了兩千五六百年的歷史，被譽為「實錄」。它集編年、記事之長，開創了以人物為中心的紀傳體新體例，為以後歷代正史所遵循。它與宋代司馬光編撰的《資治通鑒》並稱「史學雙璧」。

《漢書》

東漢班固編撰的中國第一部紀傳體斷代史。班固，扶風安陵（今陝西咸陽東北）人，字孟堅。他在其父班彪所作《史記後傳》六十五篇基礎上，花二十餘年時間編撰《漢書》。尚未完成，受外戚竇憲案牽連，下獄死。其妹班昭續寫八表，馬續補寫《天文志》。《漢書》體例基本因襲《史記》略有更改，不列世家，書改為志，並創《百官公卿

表》、《刑法志》、《地理志》、《藝文志》，共一百篇，八十萬字，記述上起漢高祖、下至新莽共二百三十年史事，後人分為一百二十卷。開創斷代史體例，是繼《史記》之後中國古代又一部重要史書。但其歷史觀深受儒家思想影響，故論斷是非與司馬遷多有不同。

《四民月令》

東漢崔寔模仿《月令》所著著作。崔寔（約103—約170），涿郡安平（今河北安平）人，字子真，又名台，字元始，曾任郎、五原太守等職。四民指士、農、工、商。該書逐月記述東漢時期世家大族的生產、生活活動。對於穀類、瓜果、蔬菜的種植方法，紡績、織染、釀造、製藥等手工業，均有詳細記載，是了解當時社會經濟狀況的重要材料。大約在宋代亡佚。現有輯本。

《太初曆》

漢武帝太初元年（公元前104）所造曆法。秦及漢初沿用「顓頊曆」，以十月為歲首。由於年代久遠，到漢代時已與時令不合，甚至出現「朔晦月見」的現象。武帝因命鄧平、唐都、落下閎等人造新曆，太初元年成，故名。又稱「八十一分律曆」。以正月為歲首；第一次把二十四節氣訂入曆法，以沒有中氣的月份為閏月；推算出135個月有23次交食的周期，是中國第一部記載完整的曆法。共施行188年，至東漢章帝元和二年（85）被更為精密的「四分曆」所取代。

李斯
（？—公元前208）

戰國末楚上蔡（今河南上蔡西南）人。曾師從荀子學習帝王術。後入秦任官。游說秦王嬴政（即秦始皇）兼併六國，統一天下，並獻計離間六國君臣關係，官至客卿。秦王政十年（公元前237）下令驅逐六國客，上《諫逐客書》，為秦王所納。後任廷尉。秦統一後，堅決反對分封制，主張全面郡縣制，主持或參與法律、文字、度量衡等統一制度、措施的制定，是秦王朝專制集權制度的主要設計者。建議焚燒民間收藏的《詩》、《書》等百家語，禁止私學，以鉗制思想。遷丞相。秦始皇死後，在趙高的威脅

利誘下，共立始皇少子胡亥為二世皇帝。後為趙高所忌，誣其謀反，腰斬於市。

一 蒙恬
（？—公元前 210）

秦將。秦王政二十六年（公元前 221），為軍將，大破齊國，拜為內史。秦始皇三十二年（公元前 215），命蒙恬率三十萬大軍北逐匈奴，收復河南地（今內蒙古河套地區）。主持修建長城，起自臨洮至遼東。弟蒙毅也位至上卿。秦始皇三十四年（公元前 213），始皇長子扶蘇因諫說坑儒一事被貶，監蒙恬軍。秦始皇死，趙高篡立二世胡亥，賜公子扶蘇、蒙恬死，扶蘇自殺，蒙恬不肯就範，被殺。

一 西楚霸王

項羽自封號。項羽（公元前 232 — 前 202），秦下相（今江蘇宿遷）人，舊楚貴族。秦末隨叔父項梁在吳縣（今江蘇蘇州）起兵反秦。公元前 207 年，在鉅鹿之戰中大破秦軍主力。公元前 206 年十月，秦滅亡。項羽主持分封十八諸侯，自立為西楚霸王，統治梁、楚九郡，都彭城（今江蘇徐州）。隨後，楚漢戰爭爆發。為漢王劉邦所敗，在烏江（今安徽和縣）自刎而死，年僅三十歲。

一 蕭何
（公元前 257 — 前 193）

秦末沛（今江蘇沛縣）人。早年任秦沛縣獄吏。秦二世元年（公元前 209），隨劉邦起兵反秦，為劉邦重要輔佐。劉邦封漢王後，勸說劉邦出定三秦，與項羽爭奪天下，並推薦韓信為大將軍。楚漢戰爭時，以丞相鎮守關中，為漢軍輸送士卒、糧草。劉邦稱帝後，認為蕭何功最高。主持修訂《九章律》，草創制度。高祖十一年（公元前 196），助呂后收捕淮陰侯韓信。高祖死後，輔佐惠帝，病卒。

一 韓信
（？—公元前 196）

秦末淮陰（今江蘇淮安）人。早年家貧，嘗受胯下之辱。秦末戰爭中，先投奔項羽，未受重用。遂歸漢王劉邦，在丞相蕭何舉薦下，拜大將軍。建議劉邦出兵關中，與項羽爭奪天下。楚漢戰爭中，韓信發揮卓越的軍事指揮才能，獨領一軍，先後平定魏、代、趙、燕、齊等地，封

秦漢

齊王。漢五年（公元前 202），與劉邦會師垓下，項羽兵敗
自殺。與蕭何、張良稱漢興三傑。漢建立後，徙為楚王。
被告謀反，降為淮陰侯。高祖十一年（公元前 196），又被
告謀反，為呂后所殺。

賈誼
（公元前 201—前 168）

西漢洛陽（今河南洛陽東北）人。少時以能誦書屬文
聞名。二十餘歲，文帝召為博士，因博聞善對，不到一年
破格提拔為太中大夫。建議改正朔，易服色，興禮樂，改
革法令制度。因遭重臣反對，出為長沙王太傅。後為梁王
太傅。針對匈奴外患、諸侯王坐大等時弊，多次上疏陳對
策，後世稱《治安策》。主張重農抑商，增加糧食儲備；
眾建諸侯而少其力，削弱諸侯王勢力。其思想主張對漢代
政治影響深遠。梁王墜馬死，一年後賈誼因自責悲鬱而
死，年僅三十三歲。

晁錯
（公元前 200—前 154）

西漢潁川（今河南禹州）人。早年學申商刑名之學。
文帝時，受命從伏生學習今文《尚書》。後遷博士、太子
家令，號「智囊」。針對匈奴邊患、商人兼併農民土地等
問題，先後上書，建議徙民實邊、入粟邊塞以拜爵免罪，
為文帝採納。景帝即位後，貴幸用事，遷御史大夫，進行
多項改革。上《削藩策》，力主削奪諸侯王封地，以鞏固
中央集權。景帝前元三年（公元前 154），吳楚七國藉口誅
晁錯發動叛亂。景帝聽從袁盎建議，殺晁錯，但七國並未
因此退兵，最終漢不得不出兵平亂。

董仲舒
（公元前 179—前 104）

西漢廣川（今河北棗強）人。治《公羊春秋》。景帝
時為博士。武帝時被舉為賢良，對策深得武帝讚賞，拜江
都王相。後因言災異事獲罪下獄，不久赦免。再拜膠西王
相。後託病辭官，專心治學著書，但朝廷每有大事，仍派
人諮詢。著有《春秋繁露》一書。董仲舒適應大一統國家
需要，提出「獨尊儒術，罷黜百家」，並建議建太學，設
博士弟子員，傳授經學，被武帝採納。其學以儒家思想為
中心，雜取陰陽五行思想，提出「天人感應說」，為王朝

統治的合法性製造理論依據，對後世影響深遠。

衛青
（？—公元前 106）

西漢河東平陽（今山西臨汾西南）人。字仲卿。本姓鄭，母為漢武帝姐平陽公主家婢，因同母異父姐衛子夫得幸武帝，遂冒姓衛。自元光六年（公元前 129）拜車騎將軍起，先後七次率軍出擊匈奴，屢建奇功。元朔二年（公元前 127），收復河南地（今內蒙古河套地區），封長平侯。元朔五年（公元前 124），擊潰匈奴右賢王，拜大將軍，三子皆封侯。元狩四年（公元前 119），衛青、霍去病分路出擊匈奴，衛青部重創單于部，追至寘顏山趙信城（今蒙古杭愛山南），加拜大司馬。雖貴幸，不樹黨營私。後娶平陽公主，病卒。

霍去病
（？—公元前 117）

漢武帝皇后衛子夫姊子，衛青外甥。年十八任侍中。先後六次出擊匈奴。元朔六年（公元前 123），率輕騎八百，捕斬匈奴二千餘級，封冠軍侯。元狩二年（公元前 121）任驃騎將軍，兩出隴西，捕斬匈奴三萬餘級，沉重打擊匈奴右部。漢在河西設武威、張掖、酒泉、敦煌四郡。元狩四年（公元前 119），大敗左賢王部，捕斬七萬餘級，封狼居胥山（今蒙古肯特山），臨瀚海（今貝加爾湖）而還，與衛青一同加拜大司馬，寵幸則超過衛青。病卒，享年不到三十歲。

桑弘羊
（公元前 152—前 80）

西漢洛陽（今河南洛陽東北）人。商家子，善心算，十三歲為侍中。漢武帝中期，因連年發動對周邊民族戰爭，大興土木建設，陷入財政危機。遂重用桑弘羊，歷任大司農中丞、大司農、搜粟都尉等職，統管中央財政。先後推出鹽、鐵、酒官營，均輸、平準，算緡、告緡，統一鑄幣等政策，取得成功，史稱「民不益（增加）賦（賦稅）而天下用饒」。武帝臨終前，遷御史大夫，與霍光等四人受遺詔，輔佐昭帝。始元六年（公元前 81），在朝會上與來自各地的賢良文學就鹽鐵等政策展開激烈辯論。次年，因參與謀廢昭帝被處死。

霍光

（？—公元前 68）

西漢河東平陽（今山西臨汾西南）人。字子孟。霍去病異母弟。武帝時以外戚任郎，漸升至奉車都尉、光祿大夫。為人小心謹慎，深得武帝信任。武帝臨終，立年僅八歲的昭帝，拜霍光為大司馬、大將軍，與桑弘羊等四位大臣受遺詔輔政。昭帝時，封博陸侯，外孫女為皇后，權傾朝廷。昭帝死後，立昌邑王劉賀為帝，不久廢，迎立宣帝。秉政二十年。輔政期間，繼續奉行武帝末年「與民休息」政策，對「昭宣中興」起了重要作用。霍光死後，其家族因謀反被滅。

劉歆

（約公元前 50 —
公元 23）

西漢末洛陽人。字子駿。後改名劉秀，字穎叔。漢皇族宗室，著名經學家、目錄校勘學家劉向之子。成帝時，以通經、善屬文任黃門郎。河平三年（公元前 26），受詔與其父整理皇室所藏秘書。其父死後，任中壘校尉。哀帝時，在其父所撰《別錄》基礎上，編纂中國歷史上第一部圖書分類目錄《七略》。因發現《春秋左氏傳》，故大力提倡古文經，建議立《周禮》、《左傳》、《毛詩》、《古文尚書》等古文經博士，引發經學今古文之爭。平帝時，王莽執政，助其托古改制。考定律曆，著《三統曆譜》，被認為是世界上最早的天文年曆的雛形。王莽篡位後，為國師。後參與謀殺王莽，事敗自殺。

王充

（27 —約 100）

東漢會稽上虞（今浙江上虞）人。字仲任。少孤，曾師事班彪。因家貧，常遊市肆讀書，博通百家之言。一度任州郡屬吏，後回鄉潛心學問。著《論衡》八十五篇，認為天地萬物均由「氣」構成，批判「君權神授」、「天人感應」、讖緯等迷信，倡導黃老思想，自稱其學「違儒家之說，合黃老之義」。其觀點蘊涵着樸素的唯物主義思想。在認識論上，重視耳聞目見的感覺經驗，同時也重視理性思維，主張獨立思考，但也不能擺脫宿命論的局限。

張衡

（78 — 139）

東漢南陽西鄂（今河南南陽北）人。字平子。少善屬文，遊學京師，通貫五經六藝。擅長天文、陰陽曆算、機

械製作。安帝時，特徵拜郎中，再遷為太史令。他改進渾天儀，將齒輪與漏壺相連，觀測星宿出沒。發明候風地動儀，測定地震方位，為世界最早測候地震的機械裝置。被譽為「製作侔造化」。著有《靈憲》、《算罔論》，闡釋天體演化原理，力主渾天說，即認為天、地均為圓形，地居天之中，不停轉動。因其在科技方面的突出貢獻，聯合國天文組織曾將太陽系中的 1802 號小行星命名為「張衡星」。亦善漢賦，《二京賦》、《思玄賦》為其代表作。順帝時，官至尚書。

蔡邕
（？—192）

東漢末陳留圉（今河南開封陳留鎮）人，字伯喈。博學，好辭章、數術、天文，妙操音律。靈帝時任官，後拜郎中，校書東觀。遷議郎。熹平四年（175），因經籍文字多謬，俗儒穿鑿附會，乃與堂溪典、楊賜等奏求正定《六經》文字，獲靈帝許可。蔡邕親自書寫，令石匠刻於四十六碑，立於太學門外。後因得罪宦官權臣，曾下獄。漢獻帝時，為董卓所徵召，累遷左中郎將，故亦稱「蔡中郎」。後以董卓黨羽，死獄中。其女蔡琰（蔡文姬）因文采亦著名於世。

鄭玄
（127—200）

東漢高密（今山東高密）人。字康成。少不好為吏，先入太學，習今文經《京氏易》、《公羊春秋》，及《三統曆》、《九章算術》。又從張恭祖學《周官》、《禮記》、《左傳》、《古文尚書》等古文經。後入關中，拜馬融為師。遊學十餘年，回鄉聚徒講學，弟子達數千人。不久因受黨禍牽連，遭禁錮，遂閉門不出，潛心研經。兼修今古文，遍注群經。著有《天文七政論》、《魯禮禘祫義》、《六藝論》、《毛詩譜》、《駁許慎五經異義》、《答臨孝存周禮難》等書，共百萬餘言，世稱「鄭學」，為漢代經學的集大成者。古文因馬融、鄭玄顯於世。後人稱經學家鄭眾為先鄭，鄭玄為後鄭。

魏晉南北朝

一 五禮

吉禮、凶禮、軍禮、賓禮、嘉禮的合稱。吉禮為祭祀之禮，主要包括對昊天上帝、日月星辰、風師雨師、五嶽四瀆、山林川澤、祖先的祭祀。嘉禮為喜慶之禮，主要包括宴會、婚禮、冠禮、朝賀、尊老養老等。軍禮為有關軍事方面的禮儀，包括練兵、命將出征、誓師、發佈檄文、慶賀勝利等。賓禮即接待賓客及外交使臣的禮儀。凶禮即賑災、弔唁、喪葬等方面的禮儀。五禮內容歷代皆有，但作為一整套國家制度，孕育於漢魏之際，確立於西晉，發育於兩晉南朝宋齊，成熟於南朝梁和北魏孝文帝太和以後。

一 三省

古代三個中央官署的合稱，即尚書省、中書省、門下省。尚書省，東漢稱尚書台，魏晉以後始稱省。尚書令為都省長官，尚書左右僕射為副長官。下設諸曹，分別負責處理各種事務。魏晉南北朝，諸曹的名稱及多寡不一，至隋始定型為吏、度支、禮、兵、刑、工六部。門下意為「黃門之下」，初為設於宮禁中的官署，為皇帝身邊的侍從官。東漢門下有東西中三寺，曹魏西晉門下設侍中省，東晉增設西省，南朝宋改為集書省，上述名稱泛稱門下省。中書省，曹魏初始置，長官為中書監、中書令，下設通事郎、著作郎等官。魏晉南北朝時期，三省權力的大小、地位的高低多有變化，直到南北朝後期，中書省發佈詔令、門下省審核、尚書省執行的權力分工始固定成型。

一 典簽

官名。南北朝時設置，又稱典簽帥、簽帥、主帥。典簽本為州府掌管文書的小吏，南朝劉宋時權力開始加重。由於南朝劉宋多以年幼的皇子到地方任刺史都督，必須委派信任的人擔任典簽去協助年幼的地方長官處理政事。擔任典簽者多為寒人，他們定期向皇帝彙報地方情況，成為地方長官升黜的主要依據。以後其權力越來越重，以致有「諸州唯聞有簽帥，不聞有刺史」的說法。典簽對州刺史甚

至達到人身控制的程度，這種情況直到南齊明帝以後才有所改變。北朝各州也置典簽，但權力遠不如南朝。隋唐宋元均有典簽，權力與作用均與南朝大不相同。

九品中正制

又稱九品官人法，係魏晉南北朝為選用官僚而品第士人的一種制度。曹魏創立，於各郡置中正，州置大中正，負責把州郡中的士人劃分為上上、上中、上下、中上、中中、中下、下上、下中、下下九個等級，作為朝廷官員選拔的對象。等級劃分標準是品評對象的家世、出身、才能、品德及所在鄉里對他的評價。中正據此確定等級並寫出評語，吏部依據品狀，分授高下清濁判然不同的官職。至西晉以後，由於各級中正均由世家大族擔任，品狀評定人物的標準完全變成家世門資，形成「上品無寒門，下品無勢族」的局面。隋代廢止九品中正制，改行科舉制。

清官

清要貴重之官。魏晉南北朝隋唐都有清官之職，但含義上有所不同。魏晉南北朝的顯要清官只有士族高門才能擔任，有兩種情況：（1）地位顯要的官，如尚書、中書等。（2）一些品階較高但政務不繁重的，如秘書郎、秘書丞、校書郎、東宮侍郎、東宮通事舍人等。

濁官

相對清官而言，指品級較低、政事繁雜、士族高門不屑於擔任的官，多為士族次門或庶族寒人出任。如南朝梁官制，流內九品十八班，為清官，士族高門擔任；流外七班為濁官，寒微士人為之。

「六條詔書」

西魏時關中大族蘇綽為宇文泰擬定的要求地方官員為政的六條標準。具體內容為：（1）先治心，即從根本上對百姓進行治理；（2）敦教化，使社會風氣淳厚；（3）盡地力，以發展經濟；（4）擢賢良，以使政治開明；（5）恤獄訟，以勸善懲惡，賞罰分明；（6）均賦役，以減輕百姓負擔。宇文泰加以採納，以詔書形式推行，並規定凡是不通六條詔書及計帳者，不得為官。

魏晉南北朝

土斷

東晉南朝實行的戶籍政策。所謂土斷，即以土著為斷定的標準。具體做法就是以現居地為準，將人口著之於戶籍。東晉十六國時期，由於北方戰亂，大量流民紛紛南遷，人口流動不僅頻繁，規模也很大。流民或依附於豪強，不著國家戶籍，或登記在僑州郡縣的戶籍上，享受優復待遇，嚴重影響了國家稅收。朝廷為明考課、定稅收，多次實行土斷政策。其中影響大、效果顯著的有兩次，一次是由大司馬桓溫主持的，因發生在哀帝興寧二年（364）庚戌朔，又稱「庚戌土斷」；一次是由劉裕主持的，因發生在安帝義熙九年（413），又稱「義熙土斷」；以後南朝宋、齊、梁、陳都實行過土斷，但均成效甚微。

宗主督護制

北魏初期地方行政制度。宗主即豪強大族首領。十六國時，戰亂頻仍，中原地區豪強大族多聚集宗族力量，據塢壁自守，其宗族領袖即為宗主。北魏建國後，任命鮮卑族部落主為宗主，對地方進行督護管理，即宗主督護制。孝文帝太和十年（486）進行改革，實行三長制，宗主督護制遂廢。

都督制

以都督為長官的軍事制度。其一為都督中外諸軍事，始置於曹魏黃初三年（222），代表皇帝統率全國武裝力量。其二為都督一州或數州諸軍事，確立於曹魏黃初二年（221），負責統率在地方設置的軍事轄區的武裝力量，並兼任駐在州刺史，既管軍事又理民政。在魏晉南北朝的軍事編制中，還置有大都督、左／右都督、都督、都督部大等品級不同的統兵武官。

世兵制

魏晉南北朝的一種主要集兵形式。始行於三國，流行於兩晉南北朝，先後有士家制、兵戶制、軍戶制、營戶制、府戶制、鎮戶制等不同稱謂，均指由政府將一部分戶口編制為軍籍，其丁男終身當兵，世代相承，其家屬或隨軍營居，或集中居住在政府指定的地區。其身份地位低於郡縣民戶，非經政府放免，不得改為民籍。

府兵制

創始於西魏的一種兵制。西魏大統年間（535—551），宇文泰以鮮卑部落兵為主體，又廣募關隴豪強武裝及中、上等有財力的漢族農戶，組建一支胡漢混編的新型軍隊。其組織系統按六柱國——十二大將軍——二十四開府進行編制，官兵一律姓胡姓。因設軍府以集兵與統兵，故稱「府兵」。北周武帝即位後，下令提高府兵的地位，「改諸軍士為侍官」，同時擴大徵發府兵的範圍，均田農戶均可從軍，並改其民籍為軍籍。府兵服役時由軍府就地集結，不服役時仍在本鄉務農；免除租庸調，輪番服役有一定期限。其地位明顯優於前代的軍戶，士氣高，富有戰鬥力。府兵制前後沿續兩百年，廢止於唐天寶年間（742—756）。

北府兵

東晉時由謝玄以原郗鑒統率南下的流民武裝為基礎，又擴充召募京口（今江蘇鎮江）一帶的北方流民所組建的一支勁旅。京口既是徐州刺史的治所，又是都督軍府所在地，因位於首都建康之北，所以稱為「北府」。北府兵以剽悍善戰著稱，屢建軍功，尤以在淝水之戰中擊潰前秦「百萬」大軍（實為步騎八十七萬）名聞於史。一說京口為北中郎將駐地，故稱「北府」。

屯田制

封建國有土地的一種經營方式。創始於西漢武帝時期，「以屯田定西域」；至東漢光武帝時又推廣於內地。三國鼎立時期大規模地實施於南北各地，成效以曹魏最大，東吳次之。曹魏屯田有民屯與軍屯兩種類型，由典農系統（包括大司農、典農中郎將、典農都尉、屯司馬等）和度支系統（包括度支尚書、度支中郎將、度支都尉、營司馬等）分別管理。兩類屯田勞動者的身份不同，前者為屯田民，後者為軍士與士家；剝削方式與經營管理方式亦不同。在當時戰亂連年、農田拋荒、民不聊生的社會歷史條件下，屯田制的廣泛推行，對恢復社會經濟、增強國家實力有積極作用。

佔田課田制

西晉於公元 280 年平吳之後實行的土地管理制度與田賦課徵制度。佔田制規定，男子一人佔田七十畝，婦人五十畝。農戶自行申報土地佔有數量，經政府登記，確認其土地所有權屬。課田制規定，丁男一人課田五十畝，丁女三十畝，次丁男半之，次丁女不課。不論實際佔田多少，均按課田定額徵收田賦。當時「地有餘羨而不農者眾」。佔田課田制的實施，使無地少地的農戶得以自行開墾無主荒地，屯田軍民在西晉罷屯田制後仍可繼續耕種並合法佔有所耕土地；以定額畝數課徵田賦也有利於激勵農戶努力開荒，擴大耕地，發展農業生產。

均田制

創始於北魏孝文帝太和九年（485）的一種土地制度。北魏均田制規定：男夫一人受田四十畝，婦人二十畝，奴婢依良。諸民年及課（十五歲）受田，老免（七十歲，一說六十六歲）及身沒則還田。丁牛一頭受田三十畝，限四牛，隨有無還受。初授田，男夫一人受桑田二十畝或麻田十畝，婦人減半。正田之外，還可受備休耕之用的倍田。露田有受有還，不得買賣；桑田、麻田為世業，可繼承，也可買賣，但有若干限制。政府負責每年土地的授還與登記管理。均田制的歷史淵源是北魏早期實行的「各給耕牛，計口授田」與中原實行過的井田制、佔田制。均田制的實施，通過重新確認土地權屬，解決了因長期戰亂而產生的土地糾紛與農田拋荒問題；將部分國有土地與無主荒地分配給無地少地的漢族與內遷少數民族農戶，扶植了大量的自耕農；而限制土地的佔有、繼承與轉讓，則在一定程度上抑制了土地兼併與土地集中的惡性發展，這對發展社會經濟有積極意義。均田制歷東魏北齊、西魏北周和隋，至唐中葉廢弛，前後延續三百年。

士族

指稱講究郡望、推重門第、累世做官、文才相繼並享有法定特權的家族群體。為封建地主階級中的特權階層。士族中有高門與次門的高下之分。近人稱高門為「門閥士族」或「門閥地主」，次門為次等士族或低級士族。古籍

中有世族、勢族、甲族、高門、冠族、舊門、著姓、右姓等不同稱謂，一般泛指士族高門。其主要由東漢的世家大族發展而來，魏晉時期又生出許多新貴。士族（主要是高門著姓）在政治、經濟上都享有特權。政治上壟斷進身高官的仕途；經濟上合法佔有一定數量田地和國家的編戶。此外在學術上以經學禮法傳家，在婚姻上嚴守門當戶對原則，不與庶族通婚，以此保持自己文化和社會的優越地位。士族的發展在東晉時達到鼎盛，南朝時逐漸走下坡路。北朝由於少數民族掌權，士族的勢力不及南朝強大。隋唐時期，科舉選官成為制度，士族雖然仍有相當的政治地位，但已失去對仕途的壟斷；經濟上也失去了合法佔有國家編戶的特權；文化上一些士族為考取進士，出現了輕經學重詩賦的傾向。政治、經濟地位的衰落，文化優勢的喪失，婚姻上不與庶族通婚的禁條也被打破。五代以後，士族的勢力徹底消亡。

一 庶族

身份地位與士族「較然有別」（《宋書‧恩倖傳》）的家族群體。魏晉南北朝時期凡家族中無人出仕官職，或僅擔任不入流寒官者，謂之。其社會成分，包括普通地主階層、工商業者及編戶農民。庶族須負擔國家規定的賦役，出仕者也不能擔任清要官與品秩高的寒官。《南史‧王球傳》曰：「士庶區別，國之章也。」對庶族的等級歧視不僅法定，而且在兩晉尤其是東晉時蔚然成為社會風氣。南朝時，庶族出身的官員開始執掌機要，地位不高，權力卻重，深受皇帝信任。劉宋時，不少庶族出身的人躋身高官行列，士族壟斷高官的局面開始改變。梁武帝以通經或詩賦取士，北周實行「擢賢良」即不問出身的選官政策，使庶族地主的政治地位進一步上升。隋唐科舉制度，為庶族的入仕打開了方便之門。唐朝有一半左右庶族出身的人登上宰相高位。

一 門閥

即門第閥閱。門第指家族世系和社會聲望；閥閱指功績和資歷。門閥最初指世代顯貴、名聲顯赫的家族，只是

在魏晉時期與官僚仕進緊密相關。秦漢時入仕之途尚不受門第閥閱限制，許多素族寒門出身的人位至公卿。東漢時，作為選官手段的察舉徵辟被世家大族所壟斷，選士而論族姓閥閱，貢薦則必閥閱為前，始逐漸形成門閥觀念。魏晉南北朝時，用以指稱士族中的高門勢族，由中正評定人品為二品，其父、祖輩歷任官位五品以上清要顯職者，謂之。東晉一朝，門閥掌控朝政大權，以至駕馭皇權，史稱「門閥政治」。

次門

士族中的寒微門戶，或稱為低級士族、次等士族。由中正評定士人之人品為三品至九品，其父、祖輩歷任官位為六品以下九品以上者，謂之。次門出身的士人，稱為寒士。寒士亦享有免役特權，但不得出仕品級高顯的清要官職，並遭受士族高門的歧視與排抑。

役門

負擔國家徭役的門戶。包括庶族地主、工商業者和編戶農民。徵發徭役時三丁抽一、五丁抽二的三五門亦屬役門。役門出身者為寒人，即使在任九品以上官職期間可免役，去職後仍須服役。

郡姓

一郡中的大姓望族。魏晉南北朝時，太原王氏、琅邪王氏、清河崔氏、博陵崔氏、范陽盧氏、趙郡李氏、滎陽鄭氏均為山東郡姓之首，京兆韋氏、杜氏，河東裴氏、薛氏、柳氏，弘農楊氏，均為關中郡姓之首。北魏孝文帝定姓族後，進入高門士族系列的漢人大族也稱郡姓。

鮮卑八姓

拓跋鮮卑八個高等姓族。八姓有前後變化的區別。北魏建國前，獻帝拓跋鄰七分國人，以自己七個兄弟分而統之。兄為紇骨氏，後改為胡氏。次兄為普氏，後改為周氏。次兄為拔拔氏，後改為長孫氏。弟為達奚氏，後改為奚氏。次弟為伊婁氏，後改為伊氏。次弟為丘敦氏，後改為丘氏。次弟為侯氏，後改為亥氏。道武帝建國後，已經是八國姓族難分。孝文帝定姓族後，穆（原為丘穆陵氏）、

陸（原為步六孤氏）、賀（原為賀賴氏）、劉（原為獨孤氏）、婁（原為賀樓氏）、于（原為勿忸于氏）、稽（原為太洛稽氏）、尉（原為尉遲氏）成為新的鮮卑八個著姓。

一 關隴集團

史學家陳寅恪對西魏、北周、隋、唐統治集團特點的概括。就地域而言，「關」指關中（今陝西），「隴」指隴右（今甘肅）。北魏分裂後，代北武川鎮鮮卑進入關中，建立西魏政權。由於力量弱於當時的東魏，統治者必須採取有效措施，與關隴地區的漢族豪強緊密結合，結成牢固的政治軍事統一體。北周代替西魏以及滅掉北齊統一北方後，進一步結合山東世家大族，從而使關隴集團在北方更具有政治代表性，奠定了隋唐統治集團的基礎。

一 部曲

部曲在秦漢原為軍事建制單位「部」與「曲」的合稱。東漢末，部曲制下的士兵對主將的人身依附關係逐漸加強，變成了主將的私人勢力，「部曲」遂成為這類「身繫於主」的士兵稱謂。魏晉以後，由於戰亂頻仍，大批農民投到大族豪強武裝保護之下，成為他們的私人部曲，又稱家兵。這類農民越來越多，逐漸變成耕戰結合的生產者，軍事性質發生改變。魏晉南北朝時部曲成為依附性很強的勞動者。至唐代仍然存在，主要從事農業生產和家內勞役，沒有人身自由，婚姻亦受主人限制。

一 佛圖戶

北魏寺院中等同於奴隸身份的勞動者。北魏文成帝時，沙門統曇曜提出，以犯重罪百姓及官奴為「佛圖戶」，以供諸寺掃灑，兼為寺院種田輸粟。此議得到文成帝批准。

一 僧祇戶

依附於北魏佛寺的農戶。北魏皇興二年（468）攻破南朝劉宋青、齊二州，將百姓遷於平城西北新城，是為平齊戶。沙門統曇曜奏請，平齊戶和軍戶中有能年繳納穀六十斛給僧曹者，即為「僧祇戶」，所交粟為「僧祇粟」，用以荒年賑給饑民。從此北魏僧祇戶遍於各州鎮。

一 五胡

指鮮卑、匈奴、羯、氐、羌五個古代少數民族。鮮卑為東胡一支，漢初大部分在匈奴統治之下。匈奴勢力衰弱後，鮮卑各部始進入匈奴故地，東漢桓帝時，鮮卑首領檀石槐曾建立東起遼東西至敦煌的龐大的部落聯盟。段部、慕容、乞伏、禿髮、拓跋、徒何各部均為鮮卑。東晉十六國時，慕容、乞伏、禿髮曾先後在東北、華北、西北建立政權。南北朝時，拓跋部建立的北魏統一北方。匈奴於公元前3世紀前後興起於大漠南北，強盛時東控遼河，西至葱嶺，北達西伯利亞，南抵長城。西漢初被迫與之和親。漢武帝時大規模北伐匈奴，使其勢力漸弱，後因內部分裂，一部分降附漢朝。東漢建武二十四年（48），匈奴分為南北兩部，南匈奴內附，北匈奴西遷。漢末三國，曹魏把內遷匈奴分為五部，散居在今山西境內的一些郡縣。十六國時，其分支屠各胡、盧水胡、鐵弗匈奴都曾建立政權。羯又稱羯胡，關於其來源，一說源於中亞康居國（今巴爾克什湖與鹹海之間），一說源於小月氏。漢魏時散居於河西及山陝等地，人數達數十萬。其人深目高鼻多鬚，少數民族特徵明顯。十六國時曾建立後趙。氐人居於甘肅、四川北部，漢武帝時開始在氐人居住地區設武都郡，所以他們接觸漢文化較早，是五胡中漢化程度較高者。東晉十六國時，前秦、後涼、仇池國均為氐人所建。古代羌族的歷史，可以追溯到殷周時期，時稱羌方。戰國秦時，羌人分佈在今青海、甘肅、四川西北地區。西漢初，由於匈奴威脅，一部分羌人要求漢朝保護，被內遷到隴西郡南部邊塞。漢武帝開河西，置護羌校尉。東漢時大量羌人被進一步內遷到今甘肅臨洮、甘谷以及陝西渭水流域，與漢人雜居。十六國時羌人姚萇曾建立後秦政權。東晉時，宕昌、鄧至、白蘭等羌部興起，建立政權，以後分別臣屬於北魏、北周、南朝。

一 狄

古代民族，先秦時分佈在北方。春秋時分佈於河北、陝西、山西一帶，包括赤狄、白狄、長狄等，因種姓眾多，又有「眾狄」之稱。春秋末年的中山國即白狄所建。魏晉南北

朝時期，又稱「戎狄」、「北狄」，泛指北方少數民族。

柔然

古代北方少數民族。又稱茹茹、芮芮、蠕蠕。公元 4 世紀附屬於拓跋鮮卑所建代國。拓跋鮮卑建立北魏後，柔然轉至陰山一帶。北魏天興五年（402）首領社崙統一漠北，建立東起大興安嶺，西逾阿爾泰山，南至大戈壁，北到貝加爾湖以南的龐大汗國，社崙自稱丘豆伐可汗。柔然經濟以遊牧為主，有冶鐵、造車、製革等手工業。後國內高車族獨立，柔然勢力漸衰。北魏正光元年（520），柔然內亂，可汗阿那瓌降魏。北魏分裂後，柔然復興，東西魏爭着與之和親，進行拉攏。北朝末期被突厥吞併。

高車

古代北方少數民族。又名敕勒、赤勒、鐵勒。其族善造車，且車輪高大輻多，因此得名。關於其族源，一說源自匈奴，一說源自丁零。北魏初期，多次受到道武帝征伐，又被太武帝遷徙十萬餘戶到漠南。孝文帝時，因不願意受詔南征，其首領率族人北上復投柔然。柔然可汗豆崙時期，高車副伏羅部首領阿伏至羅率眾脫離柔然，西遷至今新疆吐魯番建立高車王國。此後多次與柔然相爭，極大地削弱了柔然勢力。唐代西北的薛延陀部、回紇部均為高車後裔。

胡人

魏晉南北朝時對北方及西域各族的泛稱。秦漢時專指匈奴，稱匈奴以東的各族為東胡。唐朝則指新疆、中亞、西亞之伊朗語系西域各族。

賨人

古代巴族的一支。屬今重慶境內古巴國。民俗勇猛剽悍。秦滅巴國後，賨人分佈在今嘉陵江流域。漢高祖劉邦為漢王時，曾經徵募賨人入伍，在平定關中之戰立功頗多。劉邦因此給予賨人羅、朴、督、鄂、度、夕、龔七姓免除租賦的待遇。東漢末張魯據漢中，以鬼道教百姓，賨人敬信巫覡，多往奉之。曹操佔領漢中後，又將一部分賨人遷徙到略陽（今甘肅天水北）。魏晉南北朝時期的巴渝

魏晉南北朝

舞，即劉邦令樂府演習賓人的舞蹈而流傳下來。

一 山越

古代族名，其先人即戰國秦漢時期分佈在今廣東、福建、浙江、江西、安徽地區的越人。漢末三國時，他們進入大山深處，依險山為阻，脫離政府管理，不繳納租稅。三國孫吳時，一部分人被趕出深山，成為向國家交稅服役的編戶齊民。隋唐及宋偶見文獻記載，宋朝以後便在歷史上銷聲匿跡，全部融入漢族中。

一 名士

東漢時，名士指那些社會聲望和影響都很高的官僚或士大夫。魏晉南北朝時則指在玄學、文學等領域中有影響的人物。玄學名士有的以時期命名，如「正始名士」；有的以士人團體命名，如竹林名士；有的以朝代命名，如中朝名士（東晉人稱本朝為中朝）。魏晉時期玄學盛行，學者、官僚、貴族甚至一些僧人都進入名士行列。南北朝後期，由於玄風減弱，名士多指文人學者中造詣高深、有社會聲望的人。

一 玄學

魏晉南朝流行的社會思潮。玄學以《老子》、《莊子》、《周易》為經典，討論有無、本末、動靜、名教與自然等關係。玄學在不同時期具有不同特點。曹魏正始年間，何晏、王弼等人提倡「貴無」，主張自然為本，名教為末，宣傳無為治理天下。阮籍、嵇康則主張毀棄禮法，「越名教而任自然」，通過任自然達到無君無臣的「自然」社會。魏晉之際，裴頠則反對「貴無」，主張「崇有」，反對寄生思想和縱慾主義。向秀、郭象主張「名教即自然」，君臣、上下乃是天理自然。魏晉時期玄學盛行，許多士族官僚紛紛以玄談為務，以至於出現「清談誤國」的現象。東晉以後，玄學逐漸與佛學合流，而一些政治家也把玄學與政治分開，以儒學治國，以清談致玄，玄學之風漸弱。

一 建安七子

東漢末建安時期的七位文人：孔融、陳琳、王粲、徐幹、阮瑀、應瑒、劉楨。孔融（153—208），東漢魯國（治

今山東曲阜）人，字文舉，孔子二十世孫。少聰慧好學，歷任侍御史、司空掾、虎賁中郎將。董卓廢少立獻後，因不順其意，出任北海相。曹操將漢獻帝遷都許（今河南許昌），孔融被徵為將作大匠、少府。多次逆曹操之意，後被構陷殺害。陳琳（？—217），東漢廣陵（今江蘇揚州）人，字孔璋。初為何進主簿，董卓之亂起，到冀州袁紹處避難。曾為袁紹作討伐曹操檄文。袁紹敗後歸降曹操，任司空軍謀祭酒，起草軍國書檄。王粲（177—217），東漢山陽高平（今山東鄒城西南）人，字仲宣。東漢末大亂，先往荊州依附劉表，後投歸曹操，任丞相掾、侍中。擅長詩賦，著有《漢末英雄記》。徐幹（171—218），東漢北海劇縣（今山東昌樂西）人，字偉長。歷任司空軍謀祭酒掾屬、五官中郎將文學。著有《中論》二十篇。阮瑀（約165—212），東漢陳留尉氏（今屬河南）人，字元瑜。少從蔡邕學習，後任曹操司空軍謀祭酒，起草軍國書檄。能寫詩著文，深受曹丕稱讚。應瑒（？—217），東漢汝南南頓（今河南項城西）人，字德璉。出身儒學世家，以文章著稱。初為曹操丞相掾屬，又轉平原侯庶子，後為五官將文學。劉楨（？—217），東漢東平寧陽（今山東東平東）人，字公幹。少以才學知名。任曹操丞相掾屬。因平視曹丕夫人甄氏，被視為無禮而罰輸作部，後免為吏。擅長詩文，五言詩被曹丕稱為絕妙當時。

竹林七賢

魏晉之際七個名士：阮籍、嵇康、山濤、向秀、劉伶、王戎、阮咸。因同遊於竹林，被東晉南朝人稱為竹林七賢或竹林名士。阮籍（210—263），曹魏陳留尉氏（今屬河南）人，字嗣宗。歷任大將軍從事中郎、散騎常侍。值魏晉易代之際，以縱酒談玄行為放達自保。請求為步兵校尉，以接近步兵營中善釀酒者，被世人稱為「阮步兵」。著作有《達莊論》、《大人先生傳》及《詠懷》詩等。阮咸，生卒年不詳。字仲容，阮籍之侄，叔侄二人並稱「大小阮」。放達不拘禮法，常以弦歌酣宴為樂。精通音樂，善彈琵琶。歷任散騎侍郎、始平太守。嵇康（223—262），

曹魏譙國銍縣（今安徽宿州西南）人，字叔夜。娶曹操的曾孫女長樂亭主為妻，拜中散大夫，世人稱之嵇中散。善養生，通老莊，能屬文，精音樂，提倡「越名教而任自然」。拒絕山濤舉薦做官，並與之絕交。藐視鍾會為人，對其無禮。因此遭陷害，被殺。劉伶，生卒年不詳，一說約221—300，西晉沛國（治今安徽濉溪西北）人，字伯倫。曾為建威參軍，後因答朝廷策問不合皇帝旨意，被免官。崇尚老莊，藐視儒家禮法，喜飲酒，著《酒德頌》。王戎（234—305），西晉琅邪臨沂（今山東臨沂北）人，字濬沖。歷任吏部黃門郎、散騎常侍、河東太守、荊州刺史、豫州刺史，建威將軍。參加平吳之役，平吳後拜太子太傅，轉中書令，加光祿大夫，遷尚書左僕射，司徒，為七賢之高官。為人吝嗇好財，為時人所譏。向秀（約227—272），西晉河內懷縣（今河南武陟西南）人，字子期。歷任黃門侍郎、散騎常侍。反對「貴無」，主張名教即自然，與王弼以儒合道不同，強調以道合儒。注《莊子》，未竟而卒，後郭象以之為基礎加以完成。現存《莊子注》一般認為是向秀、郭象二人作品。山濤（205—283），西晉河內懷縣（今河南武陟西南）人，字巨源。山濤的祖姑母是司馬懿的岳母，司馬昭任大將軍時，山濤任他的從事中郎。歷任吏部尚書、尚書右僕射、司徒等職。亦為七賢中的高官。

何晏
（？—249）

曹魏宛（今河南南陽）人，字平叔，東漢外戚何進之孫。曾被曹操收養，又娶金鄉公主為妻。好打扮化妝，有「傅粉何郎」之稱。有才辯，能詩賦，喜浮華。任尚書主持選舉時，所用官吏均稱其職。為三國玄學代表人物，糅合儒家名教和道家自然無為，認為「有名」的萬物來源於「無名」的「道」。在政治上屬於曹氏一黨，高平陵之變後被司馬懿所殺。

杜預
（222—285）

西晉京兆杜陵（今陝西西安東南）人，字元凱。娶司馬昭妹為妻。歷任尚書郎、河南尹、秦州刺史、鎮南大將

軍、都督荊州諸軍事、度支尚書。在任期間卓有政績，有「杜武庫」之美稱。力主討伐孫吳，統一天下，在滅吳戰爭中有功，被封為當陽縣侯。平吳後又在荊州興修水利，開通漕運。晚年鑽研儒家經典，自稱有《左傳》癖。著作有《春秋左氏經傳集解》、《春秋釋例》、《春秋長曆》等。

王弼
（226—249）

曹魏高平（今山東鄒城西南）人，字輔嗣。有影響的玄學家，與何晏、夏侯玄等人開玄學清談之風，史稱「正始之音」。王弼出身經學世家，有深厚經學修養，又喜好老莊，所以能把二者結合起來，使經學在他手裏變成偏重哲理的玄學。著作有《老子注》、《老子指略》、《周易注》、《周易略例》、《論語釋疑》等，論述有無、本末、動靜、自然與名教等關係，其中《論語釋疑》已經亡佚。其思想主張「貴無」，「援老入儒」，儒道合一。政治主張名教出於自然，「以君御民，執一統眾」。因多才藝為時人所嘆服，又因恃才傲物，為時人所非議。

王羲之

生卒年有兩說：一說為321—379年，一說為303—361年。東晉琅邪臨沂（今山東臨沂北）人，字逸少，王導從子。太尉郗鑒女婿。官至右軍將軍，世人又稱「王右軍」。因不願官居王述之下，託病辭職，定居會稽。善書法，自幼從衛夫人學習，後博採眾長，精通諸家書體，尤擅長隸書、正楷、行書，被後代尊為書聖。

道安
（314—385）

十六國常山扶柳（今河北冀州）人，俗姓衛，十二歲出家，在田舍中勞動三年，毫無怨色。後入鄴城師事佛圖澄。興寧三年（365）赴襄陽，在那裏居住十五年，整理校閱佛教經典，制定佛教教規，定僧侶以釋為姓，弘揚佛法。太元四年（379）至長安，翻譯並講授般若學經籍，為東晉南北朝時期著述最多的佛教學者。

慧遠
（334—416）

東晉雁門樓煩（今山西寧武西）人，俗姓賈。通六經，善老莊，二十一歲出家，為釋道安弟子。時值中原戰亂，

隨道安輾轉遷徙。太元三年（378）辭道安前往廬山，定居東林寺。三十多年間，派弟子西出流沙取經，又請罽賓僧人僧伽提婆譯《阿毗曇心經》，並為之作序，還在廬山結蓮社。被後世奉為淨土宗初祖。著有《沙門不敬王者論》、《般若經問論序》、《明報應論》等。

鳩摩羅什
（344—413）

十六國後秦僧人。原籍天竺，父為龜茲國相，母為龜茲公主。鳩摩羅什七歲出家，熟悉小乘、大乘教義。前秦苻堅聞其名聲，派呂光率軍前往龜茲迎請。因苻堅淝水兵敗，乃與呂光滯留涼州達十八年之久。後秦弘始三年（401），姚興派人迎請鳩摩羅什至長安，待以國師之禮，為其在長安西南開逍遙園，翻譯、宣講佛經。鳩摩羅什譯經不僅嚴謹準確，而且流暢優美，是中國著名的佛經翻譯家。所譯經、論七十四部，三百八十四卷，現存三十九部，三百十三卷。所譯中觀宗三論即《中論》、《百論》、《十二門論》成為後世三論宗的主要經典。

顧愷之
（約 345—406）

東晉晉陵無錫（今屬江蘇）人，字長康，小字虎頭。先後被大司馬桓溫、荊州刺史殷仲堪引為參軍。東晉末年為散騎常侍。多才多藝，繪畫技藝尤其精湛。善畫人物、佛像、山水，認為畫人物所傳神的地方是眼睛，所以當人物畫像即將完成，有時數年不畫眼睛。俗傳顧愷之有三絕：才絕，畫絕，痴絕。享年六十二。所著文集及《啟蒙記》行於世。流傳至今的《女史箴圖》，據說是其早期摹本。

寇謙之
（365—448）

北魏上谷昌平（今北京昌平東南）人，字輔真。早年信奉張魯五斗米道，後入嵩山修煉道教，歷時七年。明元帝神瑞二年（415），自稱太上老君授其「天師」之號，讓他「清整道教，除去三張（張陵、張衡、張魯）偽法」。在此名義下，開始改造原始道教，以「禮度」為主要內容，以禮拜、煉丹為主要形式，宣傳「佐國扶民」。司徒崔浩將其推薦給太武帝拓跋燾，在拓跋燾支持下，在平城建天師道場，指定樂章，誦戒新法，稱「新天師道」。稱太武

帝為太平真君，自己受上天之命輔助太平真君。拓跋燾信以為真，乃改年號太平真君，道教也在北魏廣為流行。

陶淵明
（365—427）

潯陽柴桑（今江西九江西南）人。字元亮，一說名潛，字淵明，世稱靖節先生。晉大司馬陶侃之曾孫。少有高趣，嘗著《五柳先生傳》以自況，時人謂之實錄。初任東晉江州祭酒，後為鎮軍、建威參軍及彭澤令。郡遣督郵至縣，吏白應束帶見之。陶淵明不願為五斗米折腰，即日解印綬去職，賦《歸去來》以遂其志。宋世不復肯仕。所著文章，皆題其年月；義熙以前，明書晉氏年號，自永初以來，唯云甲子而已。首創「意中有景，景中有意」的田園詩。著《搜神後記》十卷，有文集傳世。

崔浩
（381—450）

北魏三朝重臣，清河東武城（今山東武城西北）人，字伯淵。少好文學，博覽經史。道武帝天興中，任給事秘書，轉著作郎。因工書，常置道武帝左右。明元帝時，拜博士祭酒，常教授皇帝經書。加左光祿大夫，隨軍為謀主，參議軍國大謀。太武帝始光年間，拜太常卿，參與謀劃討伐夏、北涼、柔然，制定朝廷禮儀，起草軍國書詔，官至司徒。信奉道教，向太武帝舉薦天師道士寇謙之，勸太武帝滅佛。後受命兼秘書事，綜理史職，負責修撰國史。由於史書記載了拓跋鮮卑早期歷史，並刻石碑立於衢路，被鮮卑貴族以曝揚國惡之罪彈劾，慘遭殺身滅族之禍。

陸修靜
（406—477）

南朝宋吳興東遷（今浙江湖州東）人。字元德，道士。幼習儒書，旁究象緯。早年棄家修道，好方外之遊。後隱廬山，專精教法。明帝泰始三年（467）奉命赴建康，居崇虛館廣收道經，辨別真偽。七年（471）又撰定《三洞經書目錄》。致力於南朝天師道的改革，吸取佛教思想、儀節，創立比較系統的道教齋戒儀範。卒諡簡寂先生。北宋宣和年間封為丹元真人。著有《太上洞玄靈寶眾簡文》、《洞玄靈寶五感文》、《陸先生道門科略》、《道德經雜說》、《靈寶道士自修盟真齋立成儀》等。

魏晉南北朝

范縝
（約450—約510）

南朝梁南鄉舞陰（今河南泌陽西北）人，字子真。晉安北將軍范汪六世孫。少孤貧，師從名儒劉瓛，博通經史。仕齊累遷尚書殿中郎、領軍長史。性耿介，不畏權貴，屢遭當權者排斥。不信因果，著《神滅論》，齊竟陵王蕭子良集眾僧難之而不能屈，以高官勸誘而不能動。梁武帝時任中書郎、國子博士，卒官。有文集十卷。著作多佚，現存《神滅論》、《答曹舍人》等篇。

陶弘景
（456—536）

南朝梁丹陽秣陵（今江蘇南京南）人，字通明，自號華陽隱居。受葛洪《神仙傳》影響，幼有養生之志。明陰陽五行、天文地理、醫書本草。後隱居句容之句曲山，從東陽孫遊岳受符圖經法。齊末援引圖讖助蕭衍代齊，得蕭衍器重，朝廷每有吉凶征討大事，常遣使諮詢之，有「山中宰相」之稱。卒諡貞白先生。其思想源於老莊哲學和葛洪的神仙理論，雜有儒家和佛教觀點，主張儒釋道三教合流。著有《真誥》、《真靈位業圖》、《效驗方》、《肘後百一方》、《神農本草》、《天儀說要》等。

劉勰
（約465—約532）

南朝梁東莞莒縣（今山東莒縣）人。字彥和，世居京口。早孤，篤志好學。天監初起家奉朝請。官至步兵校尉、東宮通事舍人。深為昭明太子蕭統所重。早年嘗依沙門僧祐，博通經論，長於佛理，建康寺塔及名僧碑誌多其所撰。後於定林寺變服出家，改名慧地，尋卒。著有《文心雕龍》五十篇，為現存中國文學批評與創作討論的第一部專著。

蕭統
（501—531）

南朝梁人。字德施，小字維摩。梁武帝長子。天監元年（502）被立為太子，世稱昭明太子。喜山水，好文學。時東宮藏書近三萬卷，名士並集，文學之盛為晉宋以來所未有。常相討論篇籍，商榷古今，閑則繼以著述。卒諡昭明。所著有《正序》、《文章精華》及文集二十卷。《文選》三十卷（傳世唐李善注本析為六十卷），是中國現存最早的文章總集。

四 | 隋唐

天可汗

突厥諸部落對唐天子的尊稱。始於唐太宗。貞觀二十年（646）薛延陀亡，脫離薛延陀統治的突厥別部鐵勒諸部落謁太宗於靈州，共上太宗「天可汗」稱號，並請開「參天可汗道」往來長安。唐太宗成為前代帝王所未曾有過的「天可汗」，這是他對境內少數族施行相對開明政策的結果。此後唐朝傳詔西北諸政權首領，皆用「天可汗」印璽。

三省六部

隋唐至遼宋的中央最高政府機構。三省指中書省、門下省、尚書省；六部指尚書省下屬的吏部、戶部、禮部、兵部、刑部、工部。三省分別形成於東漢和三國時，其後組織形式和權力各有演變，至隋始整齊劃一。中書省負責秉承皇帝旨意起草詔敕；門下省負責糾核朝臣奏章，複審中書詔敕，可以封還和駁正；尚書省總領六部，負責貫徹執行詔敕等政令。三省既有分工又彼此制約，共同掌管國家大政。唐中葉以後至遼宋，三省六部權力地位各有變化，至金、元、明初，只設一省六部，明洪武十三年（1380）後以六部取代了三省六部制。

《循資格》

一種按照資序升遷的選官制度。唐初選官不論資序，州縣等級也無高低，致使選官時有的從大入小、有的由近而遠，也有老於底層久不得遷者。開元十八年（730），吏部尚書裴光庭進行改革，制定州縣等級，規定所有選人都有選限：官高者選少，官卑者選多。只要選滿，不論賢愚，一律授官，由低向高，逐級升遷，不得逾越。只要不犯罪，皆有升無降。這種「循資」晉升制度，以《格》的形式公示於眾，稱為《循資格》。後代多因之。

節度使

唐代開始設立的地方軍政長官，因朝廷賜以旌節，故名。唐高宗武后時期，邊地逐漸形成有固定駐地和較大兵力的軍鎮，統率諸軍鎮的大軍區軍事長官到睿宗景雲二年

（711）固定為「節度使」職銜。開元天寶間沿邊形成九個節度使區，各自統領所轄州、軍、鎮，天寶後例兼管理民事的採訪（觀察）使，於是集軍、民、財權於一身。唐後期內地也多有設置。其中河北三鎮節度使，與朝廷保持相對獨立狀態。五代設置更多，廢置不常，宋代則在太宗太平興國二年（977）以後漸成虛銜。遼金在大的州和節鎮多有設置，還有部落節度使。元代廢。

藩鎮

「藩」為保衛，「鎮」為軍鎮。唐初在邊地設立軍鎮，以藩衛京師、鎮遏周邊遊牧民族侵擾。到玄宗開元天寶間逐漸形成十大軍鎮，通稱「藩鎮」，也稱「方鎮」。藩鎮大的統十數州，小的也有數州，長官多為節度使，掌軍政大權。唐後期設置的數十個藩鎮中，如河北三鎮者，不聽命於中央，相對獨立；今山東、河南、山西有些藩鎮桀驁難制；而今四川、陝西、江淮以南的藩鎮則聽從朝廷政令。藩鎮間或戰爭不斷，或聯合抗命，形成割據局面，直至五代十國。北宋以後，具有軍政實力的藩鎮不復存在。

樞密使

官名。唐代宗永泰間（765—766）始用宦官「掌樞密」，憲宗時置左右樞密使。初期只是在皇帝與宰相朝臣間傳遞文書，後地位漸高，與兩神策軍中尉合稱「四貴」，擁立皇帝、任免宰相、處理軍國要務。昭宗末（903）朱全忠盡誅宦官，始以朝臣任此職。後梁改為崇政院使，後唐復舊，成為樞密院長官，權壓宰相。五代時樞密使常用武官，形成專掌軍事傾向，至宋代，遂為最高軍事長官，與宰相同執朝政。遼、金、西夏均設，元代為虛職，元末隨樞密院罷而廢止。

南衙北司

官署別稱。唐代三省六部等中央官署位於長安城宮城之南的皇城內，因稱以宰相為首的政府機構為南衙，後來代指朝官。宦官所在的內侍省，以及擔任使職的各官署，均在長安城皇城之北的宮城內，其衙門又多稱「司」，因稱宦官掌握的諸機構為北司，後來代指宦官。朝官與宦官

的鬥爭也就被稱為「南衙北司之爭」。

科舉制

　　以考試選拔官吏的制度，具有不問出身背景、提倡公平競爭的特色，萌芽於南北朝，始於隋，因分科舉人，故名。隋煬帝在秀才、明經科基礎上，新設進士科，標誌科舉制確立。唐朝科舉分常科和制舉，及第後獲出身，然後經吏部考試方可授官，以進士科地位最高。宋代科舉制進一步完善，科目以進士、明經、明法為主，分解試、省試、殿試三級，主要考儒家經義，及第即授官。後代多因循，至明代分童試、鄉試、會試、殿試，考中者分別稱生員（俗稱秀才）、舉人、貢士、進士。進士分三甲授官，其中一甲三名，稱狀元、榜眼、探花。清沿明制，光緒三十一年（1905）廢。

鄉試

　　科舉考試的一級，因一般在八月舉行，又稱「秋闈」。唐宋時期有「鄉貢」、「解試」，由州、府主持；金代以縣試為鄉試，縣令充當試官，取中者方能應府試。元代鄉試一般在行省舉行。明朝規定，鄉試三年一次，於八月在兩京及各省會舉行。考試分三場：頭場四書義三道，經義四道，次場論一篇，第三場經史策五道。主考官由皇帝欽派。各省分別錄取，每科均有一定的舉額限制。中式者為舉人，第一名為解元。舉人為終生資格。只有考取舉人，才可以參加會試，考取進士。舉人屢考不中，可向吏部申請選官，但仕途一般不如進士發達。

會試

　　科舉考試的一級，因士子會集京師，故名。因春季由禮部主行，又稱「春闈」、「禮闈」。唐宋時代有省試，遼有禮部試，與後代會試相近。會試之名始於金，府試中選者可參加會試。元代會試一般在鄉試次年舉行。明代規定，會試三年一次，在鄉試次年的二月初九、十二、十五日分三場進行。明初會試錄取不分南北。洪熙元年（1425）規定會試取士南人佔十之六，北人佔十之四；宣德、正統年間，又分南、北、中三卷，數額亦時有變通。會試的第

隋唐

一名為會元。會試中式者須再參加殿試，方成為進士。

殿試

殿試，又稱「御試」、「廷試」、「親試」，科舉考試方式之一。唐武則天曾策問貢士於洛城殿，為殿前試士之始。宋以殿試為士人入仕的最高級考試。舉人經省試中第，須再赴殿試，才算真正登科。殿試開考時，在一日內試詩、賦、論題，熙寧三年（1070）改試時務策。舉人納卷後，試卷封彌、謄錄，送考官批閱定等。殿試完畢，由皇帝主持唱名儀式，合格人按等第高下授本科及第、出身、同出身，釋褐授官。中榜者為「天子門生」。

使職差遣

「差遣」指本官被派遣去掌管非本官所管事務；「使職」指以「使」為名的職銜。使職差遣的出現與唐代中央集權加強，以及社會問題日益複雜有關。以低品官「同中書門下三品」成為宰相，就是一種「差遣」。「差遣」更多表現為使職，形成地方軍政（節度使觀察使）、經濟財政（度支使鹽鐵使）、宦官（樞密使內諸司使）三個系統。這些使職已是固定官職，但無品秩，待遇需由本官的品秩決定。「使職差遣」在唐後期瓜分了三省六部體制下的部分職掌，其發展趨勢延續至宋代。

門蔭

指按照父祖官位取得入仕資格。大致起源於漢，完備於兩晉，北朝後期式微。隋唐科舉制建立後，仍與科舉入仕並行。唐門蔭制為：一品子，得官正七品上；二品子，得官正七品下；直至從五品子，得官從八品下。三品以上蔭曾孫，五品以上蔭孫；孫低於子一等，曾孫低於孫一等。其他爵、勳官、贈官蔭法，都有相應規定。隨着科舉制度的發展完善，後代雖仍保持了門蔭入仕道路，但數量和地位都有大幅度下降。

朋黨

古代政治事務中為某種利益而結成的政治集團，具有貶義。同樣的集團，一般認為只有「小人」、「邪人」結成者為「朋黨」。又因其「言之則可惡，尋之則無跡」而成

為政治鬥爭中互相攻訐的藉口。歷朝歷代均有，尤以漢、唐、宋、明為盛。唐代發生朋黨之爭多次，最著名的是「牛（僧孺）李（德裕）黨爭」，持續四十餘年。歷代政治家對朋黨問題發表過種種議論，以歐陽修的《朋黨論》最為人知。

《天聖令》
（附唐令）

宋代法典。宋仁宗天聖初年詔命修《令》，於是參知政事呂夷簡等取《唐令》為底本，在《唐令》基礎上依據宋代實際情況參酌修訂，同時將廢棄不用的《唐令》附在現行令文後，天聖七年（1029）完成，十年（1032）頒下實行。《天聖令》後來佚失不存。1998年，浙江寧波天一閣博物館發現了明抄本《天聖令》殘本一冊十卷共十二篇令文。由於唐宋《令》文本幾無存世，此令又內含唐、宋兩朝令文，因此具有重要史料價值，一經發現就為學術界所矚目。

神策軍

唐後期主要禁軍。本屬隴右節度使，安史之亂後駐守陝州，以衛伯玉為兵馬使、宦官魚朝恩為觀軍容使，後為魚朝恩掌握。廣德元年（763）吐蕃進犯長安，代宗奔陝州，魚朝恩率此軍護衛代宗回長安，從此成為禁軍。德宗不信任文武臣僚，命宦官分領左右神策軍，並設左右護軍中尉實際掌控，軍力擴大至十五萬。由於宦官控制神策軍，同時控制了長安城和關中地區，造成宦官集團長期專權局面。至昭宗末（903）朱全忠誅殺宦官，神策軍解散。

折衝府

唐代府兵制中的主要建制。府兵制以「軍府」為主要建制，隋及唐初曾名驃騎府或鷹揚府，唐太宗貞觀十年（636）統稱折衝府，長官為折衝都尉。折衝府依人數多少分為三等，府下逐級設團、隊、火，兵士通稱衛士。折衝府總數六百餘，分佈各地，其中三分之一在關中。諸府衛士分屬中央十二衛及東宮六率，平時輪流赴長安承擔宿衛，戰時由折衝都尉率領出征。折衝府在唐初起過重大作用，此後隨衛士逃亡增多，缺額難補，以致無兵可交，

隋唐

遂於天寶八載（749）被停止發兵，府兵制於是遭到徹底破壞。

宮市

唐代以宦官採買宮中用品，在市場上以低價強購、掠奪民眾物品，稱為「宮市」。德宗貞元時（785—805）為害最烈。當時宦官常以「敕使」名義前往長安東、西兩市，給價十不償一，並令賣者支付運送物品進宮的「腳錢」，往往使賣者空手而歸，白居易《賣炭翁》詩對此有形象揭露。順宗即位（805）後罷之。

租庸調

唐朝前期實行的賦稅制度。租是穀物，調是布帛，庸是代役所交的絹。北魏實行均田制，同時制定了與之相適應的租調制度，北齊沿之。隋朝規定一夫一婦每年交租粟三石，調絹一疋（四丈）或布一端（五丈）、綿三兩或麻三斤，丁男服役一個月。唐朝規定每丁每年交租粟二石，調絹二丈（或布二丈五尺）、綿三兩（或麻三斤），服役二十日，若不役則每日折絹三尺收取（稱為「庸」）。租庸調制以人丁為本，建立在唐初自耕農佔有一定數量土地的基礎上，隨着土地兼併發展，農民破產逃亡，戶籍嚴重不實，終於在 780 年為兩稅法所取代。

突厥

中國古代北方與西北操突厥語民族及其所建汗國的名稱。6 世紀初，突厥乘柔然衰落發展勢力，552 年伊利可汗始建突厥汗國，最盛時東至遼海、西至裏海、北至貝加爾湖、南至漠北。583 年分裂為東、西突厥。東突厥分前後兩汗國：前汗國在隋末唐初最強，曾圍隋煬帝於雁門、逼唐太宗渭水結盟，629 年為唐將李靖所滅；後汗國崛起於 683 年前後，武周時為北邊大患，744 年左右為回紇所滅。西突厥 651 年前後有兵幾十萬，曾進攻唐庭州，658 年為唐將蘇定方所滅，唐在其故地設兩個都護府。西突厥可汗後裔 742 年後不再見諸記載。

一 回紇

中國古代北方與西北方的民族之一，亦為其所建汗國的名稱。回紇原為鐵勒諸部之一，受突厥統治。東突厥前汗國滅亡後，回紇佔有漠北，受唐冊封為瀚海都督。744年攻滅後突厥汗國，建回紇汗國，受唐封為懷仁可汗。788年更名為回鶻。安史之亂時曾助唐收復兩京，後與唐交往密切，受唐文化影響明顯。840年前後為黠戛斯所滅，餘眾除一部降唐外，分三支西遷，建立了多個回紇汗國，如甘州回紇汗國，9世紀90年代建立，1026年後為西夏所滅；高昌回紇汗國，981年前後建立，13世紀初稱臣於蒙古。元代「回紇」泛指信奉伊斯蘭教的西域突厥語諸部族，對高昌回紇則以「畏兀兒」稱之。

一 吐蕃

公元7世紀至9世紀藏族在青藏高原建立的政權，其君號「贊普」。629年，松贊干布繼贊普位，統一青藏高原，建都今拉薩，開展與唐、印度、尼泊爾的友好交往，640年迎娶文成公主。唐高宗、武則天時期，吐蕃向外用兵，威脅唐之隴右，並與唐爭奪西域。安史之亂時，唐西北勁兵東調平亂，吐蕃乘虛據有隴右、河西，隨後佔領安西、北庭，控制區域最大。790年後勢力削弱，823年與唐會盟，立「唐蕃會盟碑」於拉薩。846年後因內部矛盾爆發，政權瓦解。

一 吐谷渾

活躍在青海及周邊地區的民族，及其於4世紀至7世紀所建政權的名稱，唐後期也稱為退渾或吐渾。吐谷渾本為鮮卑前燕王族，西遷至陰山，擴展至青海、甘南和川北。6世紀30年代至90年代初，可汗誇呂建都於青海湖西伏俟城，常與隋發生衝突。609年隋大敗吐谷渾，在其地置西海等四郡。隋末唐初，伏允可汗復故地，不斷侵邊，635年被唐將李靖擊敗。663年，吐谷渾為吐蕃所滅，殘部東奔涼州，再東遷至朔方、河東等地，唐末五代稱代北吐渾，後受契丹統治。

靺鞨

隋唐時活躍於東北的民族，此前曾被稱為肅慎、挹婁、勿吉。南北朝時，勿吉各部分佈在今長白山以北、松花江、黑龍江和烏蘇里江的廣大地區，逐漸興盛。至隋被稱為靺鞨，部落數十，主要有粟末、黑水、白山等。黑水部在最北，以勇健著稱，唐玄宗時在其地置黑水都督府，賜其首領姓李。粟末部在最南，較先進，隋煬帝時移居今遼寧朝陽。7 世紀末粟末靺鞨首領大祚榮以粟末部貴族為主體，建立了渤海政權。黑水及其餘靺鞨皆附屬於渤海。

本教

亦作苯教，藏族原始社會時產生的一種巫教，崇奉鬼神精靈和自然物，重祭祀和占卜。佛教傳入前，在吐蕃社會中佔統治地位。宮廷中本教巫師地位很高，左右朝政。7 世紀後與佛教長期鬥爭，8 世紀後因贊普墀松德贊「興佛抑本」，勢力漸衰。部分教徒逐漸發展成為類似藏傳佛教的一個教派。佛教也吸收了本教的儀式和一些神祇，於 10 世紀後半形成為藏傳佛教。

禪宗

中國佛教宗派之一，因以修習禪定為主而得名，主張用參究之法，徹見心性的本原佛性。傳統說法認為是北朝時天竺僧菩提達摩創立。至五祖弘忍後，分為以神秀為首的北宗和以慧能為首的南宗。北宗主「漸修」，南宗主「頓悟」。後南宗經慧能弟子神會弘揚以及唐王室扶持，成為禪宗正系，其下分為溈仰、臨濟、曹洞、雲門、法眼五家。宋以後傳世者只有臨濟、曹洞二家，且遠播朝鮮、日本。自中唐始，禪宗大盛，滲禪意於日常生活中，對宋明理學影響較大。

淨土宗

中國佛教宗派之一。因專修往生阿彌陀佛淨土的法門而得名。東晉慧遠被奉為淨土宗初祖，實際奠定淨土宗立宗基礎的是北魏的曇鸞，繼承曇鸞法系弘揚淨土宗的是唐代的道綽、善導。該宗以《無量壽經》、《觀無量壽佛經》、《阿彌陀經》為三大經典，認為必須依靠佛力援引，才能往生西方淨土，而修行方法之一就是唸佛名。由於修行簡

易，在社會上流行甚廣。唐代即傳入日本。宋初以後多為禪宗、天台宗、律宗學者所兼修，而專修淨土者亦多。

天台宗

中國佛教宗派之一。因陳、隋間天台山（今浙江天台縣境內）僧人智顗所創而得名。以《法華經》為主要經典，又稱「法華宗」。智顗為消除南北朝時南北教派分歧，適應統一王朝需要，創立該宗。由於他與隋代帝王過從甚密，備受推崇，天台宗遂盛極一時。該宗主張一切事物都是法性真如的顯現，以中、假、空三諦圓融的觀點解釋世界，其觀法為「一心三觀」、「一念三千」，沒有「心」就沒有了一切。9 世紀初傳入日本。會昌毀佛（845）後衰落。

華嚴宗

中國佛教宗派之一。因所依經典為《華嚴經》而得名。又因此宗實際創始人法藏號賢首大師，故稱「賢首宗」；因發揮「法界緣起」旨趣，又稱「法界宗」。後人推杜順為一祖、智儼為二祖，至三祖法藏，弘揚華嚴學說，與皇帝武則天及朝廷貴族多有交往，得武則天尊崇，其著作遂大行於世。其後有四祖澄觀、五祖宗密。此宗認為「一真法界」為宇宙萬有之本，「圓融無礙」為認識最高境界。7 世紀後半傳入朝鮮。會昌毀佛後衰落。

律宗

中國佛教宗派之一。因以研習及傳持戒律為主而得名。又因依據的是《四分律》，故名「四分律宗」；因主要創宗人道宣住在終南山（今陝西西安南），又稱「南山宗」。漢地翻譯戒律和實行受戒，始於曹魏時。至唐道宣，以規範信徒明戒、受戒為宗旨，制戒儀、設戒壇，廣事著述。與道宣同時的還有法礪、懷素，並稱律宗三家。後來只道宣一系（南山）傳承獨盛，綿延不絕。此宗將一切諸戒歸為「止持」、「作持」兩類，主要學說是戒體論。8 世紀中，唐律僧鑒真將其傳入日本。

拜火教

祆教俗稱。源出於波斯的瑣羅亞斯德教。該教認為世界有光明和黑暗，各為善惡之源，人應棄惡從善，就要崇

拜光明，因此敬拜火、光、日月星辰。傳入中國後有火祆教、祆教、拜火教、波斯教等名稱。大約南北朝時經新疆，由波斯商人傳入中國，傳入後出現祈禱神像（天神）的變化。唐代在兩京及西部諸州多建祆祠。中央設薩寶府管理。信奉者主要是在華的胡人。會昌毀佛時被禁毀。南宋後罕見記載。

摩尼教

又名「明教」。3 世紀波斯人摩尼創立，教義雜糅祆教、佛教和基督教，宣揚「二宗三際」。二宗是光明與黑暗；三際是初際、中際、後際三段；認為經此三階段後，光明將戰勝黑暗。傳入中國有明確記載的是武則天延載元年（694）拂多誕的來朝。但唐廷只允許胡人信奉。該教傳入回紇後大受尊崇，仗回紇勢力擴展，於唐長安及多處府州建立寺院，稱「大雲光明寺」。會昌毀佛時被禁。此後在民間秘密傳佈，成為宣傳、組織反抗朝廷鬥爭的工具。

敦煌文書

主要指 1900 年發現於甘肅敦煌莫高窟藏經洞（今編號為 17 窟）的多種文字古寫本（另有少量刻本和拓本），最早為 4 世紀，最晚為 11 世紀，大部分寫於中唐至宋初。文書共六萬件以上，佛典佔百分之九十；非佛典部分除經史子集四部書外，具有珍貴史料價值的是「官私文書」，包括公文、簿籍、契券、信牘、帳曆等，都是未經後人編輯過的第一手資料。敦煌文書主要收藏於中國、英國、法國和俄羅斯，它的發現推進了中世紀中國乃至中亞歷史的研究。20 世紀以來，以研究敦煌文書、敦煌石窟藝術、敦煌地區歷史地理為對象的學術，被稱為敦煌學。

吐魯番文書

新疆吐魯番古墓葬區以及一些古城、洞窟遺址出土的紙質寫本文書。主要是漢文，其他還有古粟特、突厥、回紇、吐蕃文等，時代大致是 4 世紀至 14 世紀，以唐代文書數量最多、內容最豐富。吐魯番文書可粗略分為官、私文書與古籍、宗教共四類。官文書包括詔敕、籍帳、大量各級軍政機構的文牒；私文書含各類疏（衣物疏、功德疏

等）、契券、遺囑、信牘等。吐魯番文書主要收藏於中國、日本、德國，21 世紀以來還續有出土，是研究中國及中亞歷史珍貴的第一手資料。

法門寺

位於陝西省扶風縣城北，始建於東漢，唐高祖時改名「法門寺」。因寺中安奉佛祖釋迦牟尼指骨舍利，成為唐朝皇家寺院。終唐一朝，曾有多位皇帝將佛骨迎入長安宮中供奉，其中最盛大的是憲宗和懿宗兩次。到僖宗將佛骨送還寺院，後代再無皇帝迎奉。直到千年後的 1987 年，因明代所建寶塔倒塌，考古工作者對塔基和地宮進行清理發掘，才使佛骨舍利重見天日，同時出土了上千件精美器物。這些器物絕大部分是唐懿宗、僖宗以及惠安皇太后的供養物。

孔穎達
（574—648）

唐冀州衡水（今屬河北）人。少時曾從隋大儒劉焯問學，大業初舉明經高第，入唐為秦王府文學館學士，是太宗「十八學士」之一，後歷任國子博士、國子祭酒等職。精通經學，於服虔注《左傳》，鄭玄注《尚書》、《詩經》、《禮記》及王弼注《周易》有很深造詣，兼善曆算。曾參與修撰《隋書》，並奉詔與顏師古等撰《五經正義》一百八十卷。是書融合南北經學家見解，成為經學注疏定本、唐代科舉考試經學的依據。

劉知幾
（661—721）

唐彭城（今江蘇徐州）人，字子玄。少以文詞知名，進士及第。從武周末期到唐玄宗初年，歷任左史、鳳閣舍人、秘書少監、左散騎常侍等，同時兼修國史，時間長達二十餘年，開元九年（721）被貶，死於安州（今湖北安陸）。劉知幾著作很多，但現存者只有《史通》。《史通》詳述歷代史書及其體例的利弊得失，強調修史要直筆，是中國首部史學評論專書，奠定了古代歷史編纂學、史學史研究、史學批評學的基礎，對後代史學的發展有重要促進作用。

一行
（683—727）

唐魏州昌樂（今河南南樂）人，俗名張遂。青年時博覽經史，精通曆象陰陽五行。二十一歲因逃避官場鬥爭出家為僧，從金剛智研習密宗經典，後成為唐代密宗領袖。開元九年（721）因奉詔改定曆法，組織全國十多個點的天文大地測量，並根據南宮說等人的測量，歸算出子午線緯度的長度，在科學史上意義重大。經此實測，他主持制定的《大衍曆》比以前曆法更精密，是唐代最好的曆法，並很快傳入日本。《大衍曆》的結構體例與演算步驟，為後代編曆者所師法。

鑒真
（688—763）

唐代赴日傳法名僧。俗姓淳于，揚州人，江淮間尊為授戒大師。當時日本佛教戒律不完備，決定邀請鑒真去傳授戒律。742 年鑒真毅然應請。由於地方官阻撓和海濤險惡，先後四次未能成行。第五次漂流至海南島，雙目失明。第六次（753）終於隨日本遣唐使船東渡，754 年一月抵日，同年在首都奈良東大寺建戒壇，日本僧人始正規受戒。鑒真也成為日本律宗始祖。759 年建唐招提寺，763 年圓寂。弟子為其塑乾漆夾紵像，供奉至今。鑒真傳播唐朝文化，為中日文化交流作出了巨大貢獻。

吳道子

唐陽翟（今河南禹州）人，生卒年不詳，主要活動在唐玄宗時期。早有畫名，玄宗召入宮內，授內教博士，官至寧王友。善畫人物、佛像、神鬼、山水、禽獸等，當時人稱「國朝第一」。他在寺院牆壁所畫地獄變相，形象恐怖，屠夫觀之，懼罪修善，不敢再殺生賣肉，足見其佛畫藝術的高超。所畫人物衣服飄舉，被稱作「吳帶當風」；着色於焦墨痕中，略加微染，自然突出，被稱作「吳裝」。因筆法超妙，後人尊為「畫聖」。有《天王送子圖》摹本存世。

李白
（701—762）

唐綿州彰明（今四川江油）人，字太白，一說祖籍隴西，生在碎葉（今屬吉爾吉斯斯坦）。少時刻苦攻讀，兼習劍術。二十五歲出蜀漫遊，四十二歲被玄宗召為翰林供

奉，三年後離京二次漫遊。安史之亂時捲入皇室內部鬥爭，得罪流放。晚年漂泊，六十二歲死於當塗（今安徽當塗）。李白是唐代最偉大的詩人之一，其詩作或雄偉豪放，或清新雋永，想像豐富、語言誇張，善於用歷史典故和神話傳說抒發感情，詩中體現的傲視權貴、敢於反抗的性格尤為歷代讀者喜愛。現存詩一千餘首。

顏真卿
（708—784）

唐京兆萬年（今陝西西安）人，字清臣。祖籍琅邪臨沂。開元進士，官至殿中侍御史，出為平原（今山東陵縣）太守。安祿山叛，與從兄顏杲卿聯軍抗叛。肅宗時輾轉入京，歷任刑部尚書、御史大夫。忠貞耿直，屢為權臣所忌，出為地方刺史。代宗時任尚書左丞，封魯郡公，史稱「顏魯公」。德宗時，尊為太子太師。李希烈叛亂，被遣往宣慰，為李希烈縊殺。因忠烈被諡「文忠」。顏真卿書法莊重宏偉，氣勢開張，被稱為「顏體」。傳世有正書、行書和碑刻多種。

杜甫
（712—770）

唐襄陽人，生於鞏縣（今河南鞏義東北），字子美。屢試進士不第，在長安近十年，貧病交集。安史之亂時至鳳翔投奔肅宗，歷盡艱辛，拜左拾遺。後輾轉入蜀，居成都草堂，一度被保薦為檢校工部員外郎。晚年出蜀，居無常所，病故於湘江舟中。杜甫是唐代最偉大的詩人之一，其詩揭示現實苦難、憂國憂民，受到歷代讀者推重，被稱為「詩史」。杜詩在藝術上具有沉鬱頓挫的風格，雄渾凝練、屬對精切、格調嚴謹，代表了律詩的最高成就。現存詩一千四百餘首。

杜佑
（735—812）

唐京兆萬年（今陝西西安）人，字君卿。好學博聞，精通財政和吏治。德宗時任戶部侍郎判度支事，歷嶺南、淮南節度使；順宗時任度支鹽鐵轉運使，主持國家財政；憲宗時拜司徒、同平章事，封岐國公，甚受禮遇。以豐富的從政和理財經驗，積三十多年之功，編《通典》二百卷，上自黃帝，下至唐玄宗時代，分食貨、選舉、職官、禮、

樂、兵、刑、州郡、邊防九門編排各項制度，為中國第一部記載歷代典章制度發展演變的通史著作，也為史學開闢了一個新領域。

韓愈
（768—824）

唐河南河陽（今河南孟州南）人，字退之。貞元八年（792）進士及第，歷任監察御史、國子博士、中書舍人、國子祭酒、吏部侍郎，期間因上書言事、諫迎佛骨等，屢次被貶。終官京兆尹兼御史大夫。死後謚「文」，世稱韓文公。韓愈倡導儒學，抨擊佛老，以儒家「道統」繼承者自居，在綱常中解釋性、情。文學上提倡散體文，主張文以載道，是古文運動主將。其文章氣勢奔放，結構嚴謹，語言新奇，特色鮮明，為唐宋八大家之首。有文集存世。

柳宗元
（773—819）

唐河東解縣（今山西運城西南）人，字子厚。貞元九年（793）進士及第，先後任校書郎、藍田縣尉、監察御史。順宗時參與「永貞革新」，升禮部員外郎。憲宗時被貶永州（今湖南零陵）司馬，元和十年（815）為柳州刺史，四年後死於柳州。柳宗元主張儒佛融合，重視歷史發展的「勢」。與韓愈共同提倡古文運動，所寫文章說理透徹，寓意幽深。其山水遊記十分著名，人物傳記和寓言小品也別具特色。為唐宋八大家之一。有文集存世。

五代十國

狹義上為五代十國各政權，五代是指後梁、後唐、後晉、後漢、後周五個次第更迭的中原政權；十國是指前蜀、後蜀、吳、南唐、吳越、閩、楚、南漢、南平（荊南）、北漢等十幾個割據政權，十國乃稱其「大」者，實際上還有不少割據政權。廣義上一般是指介於唐末至北宋建國的這一歷史時期（907—960）。黃巢起義後，唐朝名存實亡，形成藩鎮割據局面。907 年，朱溫建立後梁，歷史進入五代十國時期；960 年，趙匡胤取代後周建立北宋；979 年宋滅北漢，自此基本結束了自晚唐以來的分裂割據局面。

西夏

由党項人建立的一個政權。唐朝中和元年（881），拓跋思恭佔據夏州（治今陝西橫山），封定難節度使、夏國公，世代割據相襲。公元 1038 年，李元昊建國時便以夏為國號，稱「大夏」。又因其在中原之西，宋人稱之為「西夏」。其統治範圍大致在今寧夏、甘肅、新疆、青海、內蒙古以及陝西的部分地區。1227 年被蒙古所滅。西夏文化深受漢族河隴文化及吐蕃、回鶻文化的影響，並積極發展儒學，弘揚佛學，形成具有儒家典章制度的佛教王國。

契丹

中古出現在中國東北地區的一個民族，屬東胡系。自北魏開始，契丹族就開始在遼河上游一帶活動。唐初，其首領任松漠府都督。唐亡，耶律阿保機統一契丹諸部，建立契丹國，後改稱遼，統治中國北方廣大地區。強盛時，其疆域東自大海，西至流沙，南越長城，北絕大漠。1125 年遼為金所滅。由於契丹名聲遠揚，國外有些民族至今仍然把中國稱做「契丹」。

西遼

遼朝西遷後的通稱，穆斯林和西方史籍稱之為哈剌契丹。在遼朝覆亡前夕，皇族耶律大石召集殘部，遠走漠

五代十國遼宋西夏金

北，自立為王，設置北南面官屬。1131 年二月五日，耶律大石登基稱皇帝，創立西遼王朝。後又率部西征，先後降服高昌回鶻王國、東西兩部喀喇汗王朝、花剌子模國，以及康里部，建成一個疆域遼闊的帝國，遷都於虎思斡耳朵（今吉爾吉斯斯坦境內）。1211 年蒙古乃蠻部屈出律篡奪西遼帝位，國號未變。1218 年被成吉思汗的蒙古帝國滅亡。西遼王朝統治雖僅八十七年，但在中亞歷史上是一個極其重要的時期。

党項

中國古代北方少數民族之一，屬西羌族的一支。據載，羌族發源於今青海省東南部黃河一帶。漢代時，羌族大量內遷至河隴及關中一帶。此時的党項族過着不知稼穡、草木記歲的原始遊牧部落生活。他們以部落為劃分單位，以姓氏作為部落名稱，逐漸形成了著名的党項八部，其中以拓跋氏最為強盛。另一說拓跋氏是鮮卑族的後裔，西夏開國君主李元昊就自稱是鮮卑後代。

女真

又名女直，是生活於中國東北地區的古老民族。公元 6 世紀至 7 世紀稱「黑水靺鞨」，9 世紀起始更名女真。遼時逐漸強盛，分為生女真、熟女真、回跋三部。遼末，生女真完顏部阿骨打統一各部，建立金國。17 世紀初留居東北地區的建州女真滿洲部逐漸強大，其首領努爾哈赤建立後金政權，至其子皇太極時期已基本統一女真各部，遂頒佈諭旨改女真族號為滿洲。後來滿洲人又融納了蒙古、漢、朝鮮等民族成分，逐漸形成今天的滿族。

道

一種行政區劃，在漢朝開始出現，起初跟縣同級別，專門使用於少數民族聚居的偏遠地區。唐初分天下為十道，僅為州縣之上的一種監察區，之後迭有增加，至唐睿宗景雲年間，多達二十三道。宋代地方行政區劃改「道」為「路」，而遼朝則因循唐朝舊制仍使用道作為一級行政區劃。元朝建立後，行省成為一級行政區劃，行省下設有道，道下有路。至明清時期，道成為省之下軍區的通稱，

但意義上稍有不同。

府

作為地方行政編制單位，始於唐開元元年（713）十二月一日，改東都洛陽為河南府、十二月三日改雍州（隋京兆郡）為京兆府。唐以建都之地為府。至宋，府、州沿襲於唐，府位較尊，除京師所在開封府外，北宋宣和四年（1122）時，京府三個，次府、府三十個，大郡多升為府。除京府、次府設府尹、少尹或府牧外，餘府不設。不過，府的實際長官為知某府事，副貳為通判府事。

北面官

遼官名。其制在遼太祖、太宗時初步形成，以契丹原有官制為基礎，稱北面官，統制契丹族。北面官雜用唐官職名，但含義不同。北樞密院既是最高軍事決策機構，又是最高行政機關。北宰相府與南宰相府皆佐理契丹等各遊牧部族軍政事宜，北大王院與南大王院分掌部族軍民事務。此外，宣徽院與護衛府等亦分北南，而所掌皆北面事務，皆由契丹貴族擔任。

南面官

遼官名。遼代統治漢人的行政機構系統，與北面官相對而言。其制在遼太宗時初步形成，至遼世宗時，南面官系統逐漸完備，京城設三省、六部、台、院、寺、監；京外設節度、觀察、防禦、團練等使，都是模仿唐代制度。機構雖然龐大，但是職簡權輕，遠不能與北面官之權力相比擬。

投下

源於遼，亦作頭下、頭項或投項，蒙古語稱愛馬，意為封地、采邑。遼朝貴族在自己割佔或分賜的土地上建立投下軍州，據有俘掠或受賜的人口以及自己原有的奴隸、部曲。投下軍州在政治、經濟、軍事等方面，都有既依附於領主，又隸屬於朝廷的二重性。元太祖建蒙古國，將被征服民分賜給諸弟、諸子、駙馬、功臣；他們用兵於中原和西域，又將俘虜帶回草原，作為各自的私屬，形成若干投下。投下人平時向領主納賦服役，戰時由領主率領出外作戰。

一
斡魯朵

語源出古突厥語，含義為宮帳、宮殿，亦作斡耳朵、斡里朵、窩里陀。遼太祖起，各帝及太后之執政者皆置斡魯朵。遼代所設斡魯朵共有十二宮一府。斡魯朵既是其宮廷，又是其私屬的宮衛騎軍。宮戶、奴隸和州縣所構成的獨立的軍事與經濟單位。其職任主要是奉侍在位的帝、后；帝、后死後，奉侍陵寢，並為繼位的帝、后繼續掌握使用。宮衛騎軍以近衛身份負責保衛皇帝、維護皇權，以宮戶為核心組成。宮戶，亦稱宮分戶，包括正戶（契丹人）和蕃漢轉戶（契丹人之外的各族人）。宮戶世隸宮籍，不能脫離。斡魯朵制對加強皇權，維護耶律氏的統治都起了重要的作用，對後來蒙古人的斡耳朵、怯薛制度有着直接的影響。

一
猛安謀克

猛安謀克原是女真族部落進行戰爭時的軍事編制，阿骨打起兵後，猛安謀克成了女真族以及一部分較早歸附金朝的奚人、契丹人的社會基層組織。凡猛安謀克戶，平時從事生產活動，戰時編成軍隊，應徵出戰。金統治者把這些猛安謀克遷到華北及中原地區後，稱為屯田軍。屯田軍寨的官府，同統治漢人的州縣官府平行，不相統屬。屯田軍戶一面種地自給，一面巡捕私鹽，並隨時準備鎮壓附近地區的人民反抗鬥爭。

一
榷場

指遼、宋、西夏、金政權各在接界地點設置的互市市場。中原及江南地區向北方輸出的主要是農產品及手工業製品以及海外香藥之類。遼、金、西夏地區輸往南方的商品則有牲畜、皮貨、藥材、珠玉、青白鹽等。榷場貿易是因各地區經濟交流的需要而產生的。對於各政權統治者來說，還有控制邊境貿易、提供經濟利益、安邊綏遠的作用。榷場的設置，常因政治關係的變化而興廢無常。榷場貿易受官方嚴格控制，官府有貿易優先權。

一
二稅戶

遼代投下軍州所屬的人戶，既依附於領主，又從屬於國家，同時向領主和國家繳納賦稅，故稱為二稅戶。遼代

的皇帝、貴族經常把民戶或所屬人戶作為施捨，大量賜送給寺院。這些民戶所應納的賦稅，一半輸寺，一半輸官，故也被稱為二稅戶或寺院二稅戶。遼亡，投下軍州制已不存在，頭下的二稅戶隨之消失；唯寺院二稅戶的名目仍為金所繼承。在遼金之際的混亂局勢中，金政府規定將這類二稅戶中能提出證件者放免為民。

坊郭戶

唐代以來即稱城市居民為坊郭戶。宋代坊郭戶包居住在州、府、縣城和鎮市的人戶，以及部分居住在州、縣近郊新的居民區 —— 草市的人戶。宋朝依據有無房產，將坊郭戶分成主戶和客戶，又依據財產或房產的多少，坊郭戶分成十等。坊郭上戶中有地主、商人、地主兼商人、富有的房產主等，坊郭下戶中有小商小販、手工業者、貧苦秀才等。按宋朝法律規定，坊郭戶須承擔勞役，繳納屋稅、地稅等賦稅。

西夏文

又稱蕃文或蕃書，係西夏党項族人創製和使用的文字。結構多仿漢字，有楷、篆、行草等書體，筆畫繁多，形體方整。元代仍使用，稱河西字。有印本、碑刻、官印、錢幣等文字載體傳世，在黑山城（今內蒙古哈拉浩特）發現大量西夏文獻。

契丹字

契丹字包括契丹大字和契丹小字兩種不同類型的文字。神冊五年（920）由耶律魯不古、耶律突呂不所創製的一種契丹大字，共三千餘字。契丹小字後來由耶律迭剌所創製，已發展到拼音文字的初步階段，兩種契丹文字在遼代與漢字並行。遼滅金興，契丹字又與女真字、漢字並行於金朝境內。明昌二年（1191），金章宗完顏璟明令廢除契丹文字，契丹字在金朝境內遂漸絕用，但在中亞河中地區的西遼則繼續行用。至明代已無人認識。

女真文

女真文創製於 12 世紀金國建立後不久，與漢字同為官方文字。女真文有大字、小字兩種。大字是金太祖完顏旻

命完顏希尹和葉魯創製的，於天輔三年（1119）頒行。小字於金熙宗天眷元年（1138）頒佈，皇統五年（1145）開始使用。元滅金，金國人民，包括女真族，被蒙古人視為漢人，幾乎已經不再使用女真文。元朝後，女真語中融入了大量外來詞。

藏傳佛教

藏傳佛教，或稱藏語系佛教，俗稱喇嘛教，是佛教傳入吐蕃地區後，大量吸收當地原有的宗教因素而發展起來的教派。始於 7 世紀，在 9 世紀中葉一度遭到禁絕，即所謂「朗達瑪滅佛」。一百年後，佛教由原西康地區和衛藏地區再度傳入，西藏佛教又得復甦。朗達瑪滅佛之前，佛教在西藏的傳播被稱為藏傳佛教的「前弘期」，之後稱為「後弘期」。從 11 世紀開始陸續形成各種支派，到 15 世紀初格魯派形成，藏傳佛教的派別分支最終定型。其主要教派有寧瑪派、噶當派、薩迦派、噶舉派等前期四大派和後期的格魯派等。

浙東學派

狹義的浙東學派指今紹興、寧波、台州一帶學者所發展的學術，盛於明清，源頭可追溯至兩宋。因學人籍貫及活動範圍多在寧紹（今寧波、紹興）地區，地處浙江之東部（古以錢塘江為界），故名。陽明學派及浙東史學或包含其中。廣義的浙東學派包括狹義浙東學派及浙江其他地區的學術派別，如宋代浙中地區呂祖謙為代表的金華學派，陳亮為代表的永康學派，浙南地區葉適為代表的永嘉學派等。金華、永康、永嘉這三個學派又統稱為浙東事功學派，提倡研究學問要經世致用，反對理學派的空談性命、義理。

全真教

也稱全真道或全真派，兩宋之際王重陽在陝西終南山所創，是金代興起的北方三個新道派中最大和最重要的派別。該派汲取儒、釋部分思想，主張三教合一。元太祖時，丘處機應詔赴西域謁見元太祖，受到禮遇，被命掌管道教，全真教進入全盛時期。此後在發展中與佛教產生矛

盾，在兩次僧道大辯論中，全真教均以失敗告終，從而遭到沉重打擊。至明代，朝廷重視正一道，全真教相對削弱。入清以後，更為衰落。

大道教

金朝皇統年間（1141—1148）劉德仁所創。劉德仁以九條戒法傳習門徒，其內容主要為忠君孝親，誠以待人，清淨無邪，安貧樂道，力耕而食，量入為用，不盜竊，不飲酒，不驕盈。因其教義平易，修行簡便，一時流傳頗廣，得到許多人信仰。該教在金朝曾一度被禁。至元憲宗時，得到統治者寵信，改稱「真大道」。元以後逐漸衰亡，或合併於全真教。

太一教

太一教，或稱太乙道、太一道，金熙宗天眷年間（1138—1140）蕭抱珍所創，傳至元代，後併入正一教。太一教的得名起於該教對太一神的崇奉。太一教以符水祈禳為主事，但也重內煉。它以心靈湛寂、沖虛玄靜的內修功夫為本，以符籙為輔，二者並行不悖，這與同時的神霄、清微諸派特徵一致。太一教遵行《道德經》，又受儒學影響，重視忠孝等綱常倫理。太一教傳二百年，至元代仍受統治者禮遇。

宋學

所謂宋學，是以中晚唐的儒學復興為前導，由韓愈、李翱開啟的將儒學思想由外轉而向內，援佛道以證儒理，通過兩宋理學家多方共同努力而創建的中國封建社會後期最為精緻、最為完備的理論體系。這個思想體系雖以儒家禮法、倫理為核心，卻因其融合佛道思想精粹而區別於原始儒學，所以被稱為新儒學。到清代時，考據學大興，清儒們推尊漢儒，對宋儒們空疏解經的弊病肆意攻擊，遂呼之為「宋學」，以示與「漢學」相區別。

關學

所謂關學即關中之學，是從地域角度而言的。關學萌芽於北宋慶曆之際的儒家學者申顏、侯可，至張載而正式創立。張載世稱橫渠先生，因此又有「橫渠之學」的說法。

五代十國遼宋西夏金

張載提出以「氣」為本的宇宙論和本體論哲學思想；還提出「民胞吾與」的倫理思想，確立了他對佛道思想的批判立場。關學特別強調「通經致用」，十分重視《禮》學，注重研究法律、兵法、天文、醫學等各方面的問題。

一 洛學

洛學，一般是專指以北宋儒家學者程顥、程頤開創的理學學派，舊時也有學者把邵雍之學歸在洛學之中。二程的「洛學」也稱作「伊洛之學」。二程同受業於周敦頤，他們提出了「理」的哲學範疇。洛學以儒學為核心，並將佛、道滲透於其中，旨在從哲學上論證「天理」與「人慾」之間的關係，規範人的行為，維護封建秩序。二程洛學是保守的和唯心的，但也包含有辯證法因素。洛學奠定了宋明理學的基礎，在中國哲學史上有重要地位。

一 新學

北宋神宗時期王安石創立的學派，一般稱之為荊公新學。新學初步形成於宋仁宗後期，王安石執政後，設局修經義，不少學者參與其事，成為其學派中人，新學遂為官方之學。《三經新義》和《字說》，乃至「新學」中人的經學著作，都通行於科舉考場，為學子所宗。新學可謂北宋後期最有勢力的學派。南宋後，隨着對王安石變法的否定，程朱理學成為思想學術主流，新學被視為「異端邪說」，不斷遭到貶低和否定。

一 理學

宋元明清時期的一種哲學思潮，又稱道學。它產生於北宋，盛行於南宋與元、明時代，清中期以後逐漸衰落，但其影響一直延續到近代。廣義的理學，泛指以討論天道性命問題為中心的整個哲學思潮，包括各種不同學派；狹義的理學，專指程顥、程頤、朱熹為代表的，以理為最高範疇的學說，即程朱理學。理學是北宋以後社會經濟政治發展的理論表現，是中國古代哲學長期發展的結果，特別是批判吸收佛、道哲學的直接產物。

五代十國遼宋西夏金

花間派

　　五代後蜀趙崇祚選錄唐末五代詞人十八家作品五百首編成《花間集》，他們的詞風大體相近，後世因而稱之為花間派。溫庭筠、韋莊是其代表作家，二人都側重寫艷情離愁，但溫詞穠艷華美，韋詞疏淡明秀。其餘詞人，多蹈溫、韋餘風，內容多局限於男女燕婉之私。除少數暗傷亡國的作品和邊塞詞之外，花間詞在思想上無甚可取，但其文字富艷精工，藝術成就較高，對後世詞作影響較大。

唐宋八大家

　　唐宋八大家是唐宋時期八大散文代表作家的合稱，即唐代的韓愈、柳宗元和宋代的歐陽修、蘇洵、蘇軾、蘇轍、王安石、曾鞏（分為唐二家和宋六家）。韓愈、柳宗元是唐代古文運動的領袖，歐陽修是宋代古文運動的領袖，三蘇等五人是宋代古文運動的核心人物。他們提倡散文，反對駢文，先後掀起的古文革新浪潮，一掃散文的陳舊面貌，使之煥然一新，給予當時和後世的文壇以深遠的影響。

三蘇

　　三蘇指北宋散文家蘇洵（1009—1066）和他的兒子蘇軾（1037—1101）、蘇轍（1039—1112）。宋仁宗嘉祐初年，蘇洵和蘇軾、蘇轍父子三人都到了東京（今河南開封）。由於歐陽修的賞識和推譽，他們的文章很快著名於世。蘇氏父子積極參加和推進歐陽修倡導的古文運動，他們在散文創作上都取得很高的成就，後來俱被列入唐宋八大家。三蘇之中，蘇洵和蘇轍主要以散文著稱；蘇軾則不但在散文創作上成果甚豐，而且在詩、詞、書、畫等各個領域中都有重要地位。

畢昇
（約 970—1051）

　　北宋淮南路蘄州蘄水縣（今湖北英山）人，一說為浙江杭州人。初為杭州書肆刻工，專事手工印刷。慶曆年間發明了膠泥活字印刷術，被認為是世界上最早的活字印刷技術。沈括所著的《夢溪筆談》記載了畢昇的活字印刷術。活字印刷術的發明，是印刷史上的一次偉大革命，是中國古代四大發明之一，它為中國文化經濟的發展開闢了廣闊道路，為推動世界文明的發展作出了重大貢獻。

五代十國遼宋西夏金

范仲淹
（989—1052）

字希文，諡文正，世稱范文正公。蘇州吳縣（今江蘇蘇州）人。北宋著名的政治家、思想家、軍事家和文學家。康定年間，負防禦西夏重責，與韓琦齊名，時稱「范韓」。慶曆年間，與富弼、歐陽修等推行慶曆新政，力主改革，屢遭奸佞誣謗，數度被貶。他為政清廉，體恤民情，剛直不阿。工詩文，晚年所作《岳陽樓記》，有「先天下之憂而憂，後天下之樂而樂」之語，為世所傳誦。亦工詞。著作有《范文正公集》傳世。

歐陽修
（1007—1072）

宋吉州廬陵（今屬江西吉安）人。字永叔，號醉翁，晚年又號六一居士。其於政治和文學方面都主張革新，既是范仲淹慶曆新政的支持者，也是北宋詩文革新運動的領導者。生平喜獎掖後進，曾鞏、王安石、蘇洵父子等都受到他的稱譽。一生著述繁富，有《歐陽文忠公集》、《六一詞》等。於史學亦有成就，曾奉詔與宋祁等合修《唐書》（《新唐書》），並獨撰《五代史記》（《新五代史》），集金石遺文為《集古錄》。

司馬光
（1019—1086）

初字公實，更字君實，號迂夫，晚號迂叟，出生於光州光山縣，原籍陝州夏縣（今屬山西）涑水鄉，世稱涑水先生。宋仁宗末年就立志編撰《資治通鑑》。王安石行新政，他竭力反對，退居洛陽，繼續編撰《通鑑》，至元豐七年（1084）成書。元豐八年（1085）哲宗即位，高太皇太后聽政，召他入京主國政，數月間盡廢新法，罷黜新黨。為相八個月病死，追封溫國公。遺著有《司馬文正公集》、《稽古錄》等。

張載
（1020—1077）

字子厚，宋大梁（今河南開封）人，徙家鳳翔郿縣（今陝西眉縣）橫渠鎮，人稱橫渠先生。嘉祐二年（1057）進士，歷授崇文院校書、知太常禮院。少喜談兵，曾欲結客收復洮西失地。博覽群書，其學以《易》為宗，以《中庸》為體，以孔、孟為法。講學關中，故其學派稱為「關學」。著有《正蒙》、《橫渠易說》、《經學理窟》、《張子語錄》、

文集等，後人編為《張子全書》（《張載集》）。

王安石
（1021—1086）

字介甫，號半山，諡文，封荊國公，世人又稱王荊公。撫州臨川（今屬江西）人。神宗熙寧二年（1069）提為參知政事，從熙寧三年（1070）起，兩度任同中書門下平章事，推行新法，其政治變法對北宋後期社會經濟具有很深影響。在經學和文學中亦具有突出成就，為新學創始人與唐宋八大家之一。其詩文各體兼擅，詞雖不多，但亦擅長，且有名作《桂枝香》等。現存有《王臨川集》、《臨川集拾遺》。

二程

北宋思想家、教育家程顥（1032—1085）、程頤（1033—1107）的並稱。二人為嫡親兄弟，河南洛陽人，均出生於黃州黃陂縣（今湖北紅安）。程顥字伯淳，又稱明道先生，官至監察御史裏行。程頤字正叔，又稱伊川先生，曾任國子監教授和崇政殿說書等職。二人都曾就學於周敦頤，並同為宋明理學的奠基者。二程的理學思想對後世有較大影響，南宋朱熹正是繼承和發展了他們的學說。他們的著作收入《二程集》中。

沈括
（1031—1095）

字存中，號夢溪丈人，杭州錢塘（今浙江杭州）人。他是博學多才的科學家，精通天文、數學、物理學、化學、地質學、氣象學、地理學、農學和醫學；卓越的工程師、出色的外交家。沈括晚年以平生見聞，撰寫了筆記體巨著《夢溪筆談》，詳細記載了勞動人民在科學技術方面的卓越貢獻和他自己的研究成果，反映了中國古代特別是北宋時期自然科學達到的輝煌成就，被英國學者李約瑟（Joseph Needham）譽為「中國科學史上的坐標」。

米芾
（1051—1107）

字元章，號襄陽漫士、海岳外史、鹿門居士。宋丹徒（今江蘇鎮江）人，世居太原（今屬山西），後徙襄陽（今屬湖北）。因他個性怪異，舉止癲狂，遇石稱「兄」，膜拜不已，因而人稱「米顛」。徽宗詔為書畫學博士，人稱「米

南宮」。米芾能詩文，擅書畫，精鑒別，書畫自成一家，創立了米點山水。他是「宋四書家」（蘇、米、黃、蔡）之一，又首屈一指，其書體瀟散奔放，又嚴於法度。

岳飛
（1103—1142）

字鵬舉，北宋相州湯陰縣（今河南省安陽市湯陰縣）人。中國歷史上著名戰略家、軍事家、民族英雄、抗金名將。其率領的軍隊被稱為「岳家軍」，人們流傳着「撼山易，撼岳家軍難」的民謠，表示對岳家軍的最高讚譽。紹興十一年（1141）十二月二十九日，秦檜以「莫須有」的罪名將岳飛毒死於臨安（今杭州）風波亭。宋孝宗時詔復官，諡武穆，寧宗時追封為鄂王，改諡忠武，有《岳武穆集》傳世。

鄭樵
（1104—1162）

字漁仲，南宋興化軍莆田（今福建莆田）人，世稱夾漈先生。不應科舉，畢生從事學術研究，在經學、禮樂之學、語言學、自然科學、文獻學、史學等方面都取得了成就。著述達八十餘種，流傳下來的僅有《夾漈遺稿》、《爾雅注》、《詩辨妄》、《六經奧論》和《通志》等。《通志》為其代表作，收錄鄭樵平生著述擇要的「二十略」，其中的《昆蟲草木略》是中國古代專門論述植物和動物的重要文獻。

朱熹
（1130—1200）

字元晦、一字仲晦，號晦庵，祖籍南宋江南東路徽州府婺源縣（今江西婺源），出生於南劍州尤溪（今屬福建三明）。為政期間申敕令、懲奸吏、治績顯赫。朱熹是宋代理學的集大成者，繼承北宋程顥、程頤的理學，完成了理氣一元論的體系，世稱朱子，是孔子、孟子以來最傑出的弘揚儒學的大師。著述甚多，主要有《四書章句集注》、《楚辭集注》及門人所輯《朱子大全》、《朱子語錄》等。

袁樞
（1131—1205）

建寧建安（今福建建甌）人，字機仲。他以《資治通鑒》為藍本，區別事目，分類編纂。每事自立標題，按年代順序，輯錄成《通鑒紀事本末》，創造紀事本末這一新

行管理，並提供特殊保護措施。這種商貿成為統治者盤剝人民的手段。斡脫商人乘機假公濟私，營運牟利。斡脫錢債使不少百姓破產，禍害經濟，造成嚴重的社會問題。

白蓮教

佛教淨土宗的一個支派。又稱白蓮宗、白蓮社、白蓮會。南宋初僧人茅子元創建。崇奉阿彌陀佛，宣揚彌陀為「諸佛光明之王」。普勸在家人齋戒唸佛、死後同生淨土。因教義淺顯，修行簡便，至南宋後期廣為傳播。入元後，堂庵遍佈南北各地。彌勒佛信仰轉盛。白蓮教徒常聚眾反抗官府，元朝屢次禁教，而勢力不減。元末農民起義軍首領多出自白蓮教徒。韓山童以「明王出世」、「彌勒下生」號召起義，其子韓林兒號「小明王」。入明以後，遭到官方禁止。明清時期，屢見利用白蓮教秘密組織起義的事件。

蒙古文

蒙古族使用的拼音文字。成吉思汗時期，畏兀人塔塔統阿借用畏兀字母創製，為蒙古畏兀字；元世祖忽必烈時期，吐蕃高僧八思巴以吐蕃字母為基礎，創製新的拼音文字，稱八思巴蒙古字、蒙古新字、蒙古國字，規定為元官方文字，可譯寫境內一切文字。元亡後，八思巴蒙古字被廢棄，蒙古族繼續使用畏兀字。17世紀中葉，以蒙古畏兀字為基礎形成的托忒蒙古文，主要行用於新疆地區。現在通行的蒙古文字是在畏兀字基礎上改製而成的。

《大元通制》

元朝頒行的綜合性法律條文。元初兼用成吉思汗頒佈的大札撒（法令）和金代的法律。元世祖至元八年（1271）禁行金代律令，二十八年（1291）頒行《至元新格》。仁宗下令彙輯、整理歷朝頒發的各種法令文書，英宗至治三年（1323）頒佈，定名《大元通制》。分制詔、條格、斷例。制詔是皇帝的詔令，條格是各種令條，斷例是具有法律效力的案例彙編。條格取法唐、宋、金法律體系中的令，包括戶令、學令、選舉、軍防、儀制、衣服、祿令、倉庫、廄牧、田令、賦役、關市、捕亡、賞令、醫藥、雜令、僧道、營繕等令目。斷例依照唐、宋、金律十二篇分

類，唯沒有名例篇。元朝的法律體系得以完備。元末又做過一次修訂，定名《至正條格》，也包括制詔、條格、斷例三部分。

《蒙古秘史》

大蒙古國時期的官修史書。原文用蒙古文書寫。記載成吉思汗先祖的世系、成吉思汗的早年經歷以及統一蒙古各部、建立大蒙古國、對外用兵的史實，窩闊台汗統治時期的歷史。使用文學手法講史，穿插有蒙古族的神話傳說，語言生動，人物形象鮮活。為蒙古族的第一部史書、第一部文學經典，具有珍貴的史學、文學和語言學價值。明初翰林館出於教學蒙古語文的需要，用漢字音寫蒙古語原文，對每個詞加注漢譯，題名《元朝秘史》。蒙古文原文久佚，現存本為明代漢字音寫本。

《紅史》

亦譯作《紅冊》。元代藏文史書，成書於 1363 年。作者蔡巴·貢噶多吉（1309—1364），出身吐蕃貴族，1323年繼任蔡巴萬戶長，任職近三十年，後出家為僧。對藏傳佛教的發展貢獻頗大。生平著述甚多，以本書最有名。全書分兩大部分，第一部分依次記述印度古代王統及釋迦世系，漢地歷代沿革，西夏、蒙古王統；第二部分詳述吐蕃王統及藏傳佛教各宗派的源流、世系和有關歷史，具有很高的史料價值。為現存最早的藏文歷史著作，對後世藏族史學影響很大。

成吉思汗
（1162—1227）

名鐵木真，出生於蒙古乞顏·孛兒只斤氏族，世為貴族。大蒙古國的建立者，元朝追上廟號太祖。少年喪父，族眾離散，曾投靠克烈部。後招徠父祖舊部，出兵幫助金朝征討塔塔兒部，獲賜官號，勢力逐漸強大，得以擺脫克烈部的控制。先後打敗蒙古高原諸強部，統一蒙古各部。1206 年，建立大蒙古國，加號成吉思汗，此號之義有「海洋」、「天賜」、「強大」諸說。實行千戶制、分封制，改造蒙古部落組織，加強了對平民和奴隸的統治。發動大規模西征。進攻金朝和西夏，為元朝的統一奠定了基礎。

元

的政治家。

內閣

官署名，明清兩代協助皇帝決策的輔政機構。洪武十五年（1382），明太祖朱元璋仿宋制設殿閣大學士備顧問，為內閣之萌芽。永樂初年，明成祖朱棣選翰林院官員解縉等七人入文淵閣當直，參與機務。文淵閣在午門內、文華殿南，地處內廷，故稱內閣。洪熙以後，內閣大學士官秩漸高，且為皇帝票擬，閣權漸重。然正統以來，皇帝不親政事，閣票入內，例由司禮監承旨批覆，故內閣之權又為宦官所制。大臣入閣，例經吏部、內閣、九卿及科道官員會議推舉，至崇禎年間為防大臣結黨營私，改會推為枚卜，即由吏部推薦候選名單，皇帝抓鬮決定。清承明制，設內閣，大學士滿、漢各二人，協辦大學士滿、漢各一人，名義上為國家最高官署，但實際上並不具備明內閣的中樞地位，只是處理例行政務的機構。

廷推

明代任官制度。大臣缺員之時，由吏部集會九卿等官推舉合格者數人，呈請皇帝簡用，以其會官推舉，故亦稱會推。內閣大學士、吏、兵兩部尚書職位空缺，會集九卿、五品以上官以及科道官廷推；尚書、侍郎、都御史、通政使、大理卿員缺，令六部、都察院、通政司、大理寺三品以上官廷推。外官中，只有總督、巡撫之選須用廷推，九卿參與，由吏部主持。

翰林院

官署名。唐宋時期有翰林學士院。遼改翰林院，為朝廷撰擬文誥之機構。金復稱翰林學士院。元改併為翰林兼國史院，又置蒙古翰林院。明初，置翰林院，掌制誥、修史、圖書等事。長官為掌院學士，其下設侍讀學士、侍講學士、侍讀、侍講、修撰、編修、檢討等官，皆稱翰林。明代進士一甲第一名例授翰林院修撰，二、三名授編修。永樂二年（1404）定制，選進士中文學優等及善書者入翰林院肄習，稱庶吉士。庶吉士散館時，考選優者留為編修、檢討，次者出為給事、御史。明代內閣大學士多出身

翰林，故翰林有儲相之稱，而翰林院亦為清要之地。清承明制，仍設翰林院，而清流亦多出其中。

大學士

官名，即內閣大學士。明太祖朱元璋於洪武十三年（1380）罷中書省，廢丞相，十五年（1382）仿宋制設華蓋殿、文華殿、武英殿、文淵閣、東閣大學士各一人，備顧問，不久廢。永樂初年，成祖朱棣選翰林官入直文淵閣，參與機務，然官秩不高。仁宗朱高熾又增設謹身殿大學士。嘉靖年間（1522—1566），以殿名改，世宗改置中極殿、建極殿、文華殿、武英殿、文淵閣、東閣諸大學士。自洪熙（1425）、宣德（1426—1435）以來，大學士多加公、孤銜，或尚書、侍郎銜，品秩頗高，又掌握為皇帝票擬之權，雖無丞相之名，有丞相之實。

總督

官名。明代始置。明正統六年（1441），靖遠伯王驥以兵部尚書征麓川，始以總督軍務入銜。其時總督多因事而設，事完即撤。成化以來，兩廣及陝西三邊等地，多加部院銜出鎮，漸成專職，又或稱總制。嘉靖中，以臣下不得稱「制」，復舊稱，並增設薊遼、漕運總督。清沿明制，設總督，轄一省或二、三省，綜理軍政事務，職權日重，成為地方最高長官，雍正以後例設兩江、陝甘、閩浙、湖廣、四川、兩廣、雲貴、直隸總督，光緒末年增置東三省總督。

巡撫

官名。建文元年（1399），建文帝派侍郎暴昭、夏原吉等任採訪使分巡天下，為巡撫制度之萌芽。永樂十九年（1421），明成祖派尚書蹇義等巡行天下，以興利除弊。此時巡撫差遣尚未定制，官員分巡各地，事畢還朝。宣德年間，巡撫漸成專職。宣德五年（1430），宣宗派于謙等分巡兩京、山東、山西、河南、江西、浙江、湖廣等地，為各省專設巡撫之始。巡撫由短期出巡變為常駐久任，久之便由皇帝特命的專職重臣變成近似於地方行政官員的職位。清承明制，設巡撫，為一省地方長官。

北直隸

明朝稱直屬於京師的地區為直隸，與十三布政使司同為地方最高一級的行政區域。洪武初建都南京，以應天等十四府、四州直隸中書省，簡稱直隸。永樂年間，因移都北京，以順天等八府、二州、萬全等都司為北直隸，南京諸府改稱南直隸。清初廢南直隸，北直隸改直隸省。

六科

官署名。明初，置給事中。洪武六年（1373），分吏、戶、禮、兵、刑、工設給事中十二人，每科二人，合稱六科，曾先後隸屬於承敕監和通政司。二十四年（1391），定每科設都給事中一人，左、右給事中各一人，掌本科事。下設給事中。各科員數不等，六科共四十人。永樂間，六科自為一署，移至午門外直房辦公。六科官秩不高，為正七品或從七品官員，然掌侍從、規諫、補闕、拾遺，稽察六部百司之事，位輕權重，與都察院御史並稱科道官，有言責。清沿置，但權任大減，僅負責分科稽核六部庶務、註銷各衙門文卷。

東林黨

明後期以東林書院講學人士為主體的士大夫群體。萬曆後期，顧憲成、高攀龍等一批正直官員罷黜家居。萬曆三十二年（1604），顧憲成等人重修無錫東林書院講學，講學之餘，往往諷議朝政，與朝中官員遙相應和，引起朝中對立官員的嫉恨，遂誣稱其結黨營私，故有東林黨之謂。東林黨與對立的齊黨、昆黨等，利用每六年一次的京官考察，互相罷黜對方官員。天啟年間，魏忠賢專權，其黨徒作《東林點將錄》以打擊東林黨，並殺害了楊漣、左光斗、魏大中、顧大章、周朝瑞、袁化中等「東林六君子」。高攀龍被捕之前，以自沉反抗魏忠賢的暴政。崇禎初，魏忠賢閹黨被清算，東林黨人多被起用。

鄉紳

明清時期的一個社會階層，與士紳、紳士意義相近，由官僚與獲得功名的士人組成。明清兩代，府、州、縣學的生員、國子監生、舉人與進士，都是終生資格，有徭役優免的特權，從而與在職的及退休的官員構成一個享有政

明

治和經濟特權的階層。鄉紳的影響大小不等，或具全國性的影響，或是省區名流，然而即使影響最小的地區名流，也在鄉村或集鎮的事務中行使不可忽視的權力，在基層社會事務（如修地方志、舉行鄉約、宗族建設、書院建設、修橋築路、救荒等）扮演重要的角色。

徽商

徽州商人。徽州人經商可以追溯到很早，但徽商作為一個商幫的歷史是從明朝中葉開始。徽商不僅僅指單個的徽州府商人，更指以鄉族關係為紐帶結成的徽州府商人群體，主要經營鹽、木材、茶、糧食、棉布、絲綢、墨業、典當等業，明清時期遍及全國，至江南有「無徽不成鎮」之諺。19世紀中葉，受清政府鹽業政策調整、上海開埠及太平天國運動的影響，徽商逐漸衰落。

晉商

山西商人。明代於邊境實行開中法，鼓勵商人向邊鎮輸糧，換取食鹽銷售的憑證鹽引，以從事食鹽販賣，故山西商人最初多以鹽為主業，兼營糧食、絲綢、棉花等商品。明朝後期，山西商人已與徽商齊名。入清後，晉商還積極參與北方各民族之間的貿易及對外貿易。清朝後期，憑藉雄厚的資本積累，山西商人涉足金融業，經營錢莊、票號。至清末，隨着近代金融業的興起，晉商逐漸衰落。

民變

明朝後期廣泛出現在農村與城市的群體反抗性行動。明朝後期，除了農民起義外，城鎮內也出現罷工罷市，以及因搶糧、反對地方官或抗稅而起的暴動。史書將之與農村的暴動統稱為民變。反對礦監稅使橫徵暴斂的城鎮民變為明代顯著特點。

礦監稅使

明萬曆年間奉命監督開礦和徵收商稅的宦官。萬曆皇帝朱翊鈞（1573—1620年在位）貪戀錢財，於萬曆二十四年（1596）派御馬監太監魯坤、承運庫太監王亮分別至河南和直隸真定府開礦，為礦監之始。之後，礦監四出。皇帝還派太監到全國重要港口如通州張家灣、天津、

臨清、京口、儀真、東昌、蘇州、杭州、湖口等地徵稅，
為皇帝斂財。宦官橫徵暴斂，遭到地方官員和民眾的反
對，引起各地民變。萬曆三十三年（1605），皇帝下令撤
回礦監稅使。據學者統計，十年間，礦監稅使向皇帝進奉
的礦稅銀約五百萬兩，而宦官借機中飽私囊的銀兩則更多。

黃冊

明代的戶籍冊，又稱戶籍黃冊、賦役黃冊。洪武
十四年（1381），朱元璋下令州縣以下實行里甲制度，每
一百十戶為一里，其中十戶為里長，每十戶為一甲，設
甲首一人。同年，以里甲制為基礎，朱元璋命核查全國戶
口，編製戶籍冊，每里一冊，詳列各戶的人口、田土、
房屋。黃冊編成後，分抄四份，布政使司、府、縣各存一
份，一份呈送戶部。送呈戶部的人口冊以黃紙為封面，故
稱黃冊。黃冊送至南京後，儲藏在後湖（今南京玄武湖）
湖心島嶼的黃冊庫中。黃冊每十年編造一次，從洪武十四
年起，到崇禎十五年（1642）最後一次編纂黃冊止，歷時
二百六十餘年，基本上與明王朝相終始。

魚鱗圖冊

南宋以來官府為徵派賦役而繪製的土地簿冊。因其圖
繪田畝依次排列，呈魚鱗狀，簡稱魚鱗冊。明洪武十三年
（1380），朱元璋派遣國子生武淳等往各處丈量土地。十
九年（1386），又派遣國子生呂震等往兩浙府縣各鄉丈地。
田土冊的繪製從洪武十三年始，至洪武二十五年（1392）
完成，以里為單位，對相鄰田土按順序編號，繪圖，並且
記錄每塊田地的名稱、類別、面積、田主姓名和四至。有
總圖、分圖，依縣、州、府彙集成冊。歷時既久，魚鱗圖
冊所記與實際情況往往不符，故自明中葉至清又常加修訂。

市鎮

非行政中心的商業聚落。由於商品交換需要，唐宋以
來，農村地區開始出現非定期市和定期市，而具有軍事
性質的鎮往往因交通便利而成為商品交換聚集地。宋代以
來，市鎮逐漸出現，至明代中期以後發展迅速，尤以明清
江南地區最為密集和繁榮。一般情況下，鎮的規模比市要

大，市達到一定規模可升格為鎮。市鎮不是行政運作的結果，而是手工業和商業發展的結果。明清江南形成了許多專業市鎮，如絲織業市鎮、棉布業市鎮。某些大型江南市鎮的人口規模與繁華程度，甚至超過縣城或府城。

｜土司

即土官，是明朝對西南少數民族地區世襲地方官的統稱，或指由土官所把持的政權機構或衙門，如宣慰司、宣撫司、土府、土州等。土司制度始於元朝，並為明朝所沿襲。土司世守其土，世長其民，世襲其職，向朝廷承擔一定的義務，如定期交納貢賦，隨時備徵調等。

｜三邊

延綏、寧夏、甘肅等三個邊鎮的總稱。明朝為抵禦蒙古，在北部邊境沿長城防線陸續設立了九個軍事重鎮，即九邊，自東至西依次為遼東、薊州、宣府、大同（山西）、延綏、寧夏、固原（陝西）、甘肅。延綏鎮洪武初設立，成化十年（1474）遷榆林；寧夏鎮創自洪武，永樂初年稱鎮；甘肅鎮亦在洪武年間設立。弘治十年（1497），明朝議設重臣以總制陝西三邊軍務，後或設或停，至嘉靖四年（1525），始定制。陝西三邊總督轄四鎮，即固原鎮及延綏、甘肅，寧夏三邊鎮。

｜朝貢貿易

以朝貢與賞賜為形式的貿易關係。在中國古代皇帝的政治理念中，自己是天下共主，僻遠的邊疆民族及外國應該向自己效忠，定期朝貢。朝貢次數及人數都有規定，而且入境需要勘合，故亦稱勘合貿易。明朝時，邊疆民族及外國定期朝貢，並攜帶大量商品，除向朝廷上貢部分貢品外，餘下商品用以與平民交易。朝廷則給予高於貢品價值的銀錢或實物作為回報。

｜薩迦派

藏傳佛教教派之一，俗稱「花教」。北宋熙寧六年（1073），貢卻傑布（1034—1102）在後藏薩迦地方建薩迦寺，創立此派。13 世紀中葉，其第四代祖師薩班·貢噶堅贊首與蒙古王室建立聯繫。第五代祖師八思巴受元世祖

明

封為帝師，掌管全國佛教及藏族地區行政事務。自此時起至 14 世紀中葉，此派在西藏建立第一個政教合一的地方政權。元至正十四年（1354）為帕竹噶舉派所取代，實力衰落。永樂十一年（1413），明成祖封此派領袖人物昆澤思巴為「大乘法王」。

格魯派

藏傳佛教教派之一，俗稱「黃教」。明永樂七年（1409），宗喀巴創立此派。該派注重修行，要求僧人嚴守戒律，不得娶妻，亦不得從事農作。嘉靖二十五年（1546），此派始行活佛轉世制度。萬曆六年（1578），索南嘉措接受蒙古土默特部俺答汗贈予的「聖識一切瓦齊爾達喇達賴喇嘛」名號，是為達賴喇嘛名號的開端，索南嘉措為達賴三世。崇禎十五年（1642），格魯派借蒙古和碩特部固始汗的兵力擊敗各敵對勢力，在藏族社會取得絕對優勢。清順治二年（1645），固始汗贈予羅桑卻吉堅贊「班禪博克多」名號，是為班禪名號的開端，羅桑卻吉堅贊為班禪四世。康熙五十二年（1713），清廷封班禪五世為「班禪額爾德尼」。乾隆十六年（1751），清廷命達賴七世掌管西藏地方政權，此派遂成為西藏地區執政教派。

噶舉派

藏傳佛教教派之一，俗稱「白教」。11 世紀中葉，由瑪爾巴創立。此派不重經文學習，注重密宗教義的師徒口耳相傳，以苦修為特色。支系繁多，有「四大八小」之稱。帕竹支系曾在元、明兩朝敕封下，繼薩迦派執掌衛藏地方政權（1354—1618）。噶瑪支系領袖人物自永樂五年（1407）起受明代「大寶法王」封號，為藏傳佛教各教派領袖中的最高封號。17 世紀中葉格魯派得勢後，此派勢力漸衰，僅噶瑪、止貢、主巴、達壟等支系尚有流傳。

《永樂大典》

明永樂間官修類書。永樂元年（1403），解縉奉命編纂，參與者一百四十七人，書成，初名《文獻大成》。因採摘不廣，記載太略，命重修，以姚廣孝、解縉等監修，翰林學士王景等總裁，在文淵閣開館編纂，參與者

三千餘人。永樂五年（1407），全書完成，更名《永樂大典》。全書以洪武正韻目編次，按單字依次輯入與此字相聯繫的文史記載，輯錄先秦至明初書籍七八千種，共二萬二千九百三十七卷（內含目錄六十卷），一萬一千九十五冊，約三億七千萬字。正本初藏南京文淵閣，遷都後移貯北京文樓。嘉靖、隆慶年間，錄副本一部。正本約亡於明亡時。清朝修《四庫全書》，從《永樂大典》中輯出不少佚書。光緒二十六年（1900），八國聯軍入侵北京，副本部分毀於火，餘被劫走。1960 年，中華書局根據歷年徵集的七百三十卷影印出版。

耶穌會士

天主教耶穌會傳教士。天主教耶穌會成立於 1540 年，首任總會長是西班牙貴族羅耀拉，主張維護教皇權威，反對宗教改革。該會組織嚴密，紀律嚴明，重視教育，勇於開拓國外傳教事業。1552 年，耶穌會士方濟各·沙勿略抵達廣東海域的上川島，拉開了天主教在華傳教事業的序幕。從明萬曆到清乾隆年間約兩百年內，大批傳教士進入中國傳教，僅費賴之《在華耶穌會士列傳及書目》即列舉四百六十七人。耶穌會士在傳教的同時，也給中國帶來了西方較為先進的科學知識。

鄭和
（1371—1433）

明初偉大的航海家。本姓馬，名三保（一作三寶），昆陽（今雲南晉寧）人，回族。洪武十五年（1382）入宮，侍燕王朱棣。朱棣即位，以軍功升內官監太監，賜姓鄭。從永樂三年（1405）到宣德八年（1433），鄭和七次率領船隊下西洋（指中國南海以西海域）。船隊攜帶大量的瓷器和絲織品，由江蘇太倉的劉家港出海，沿途進入中國南海，穿越馬六甲海峽，進入印度洋，訪問沿途各國，並與各國貿易。船隊最後一次航行的歸國途中，鄭和病逝。

于謙
（1398—1457）

明代政治家、軍事家，字廷益，號節庵，錢塘（今浙江杭州）人，永樂十九年（1421）進士。正統十四年（1449），明英宗朱祁鎮被瓦剌也先俘獲，于謙力排南遷

明

之議，請固守北京，並擁戴英宗異母弟朱祁鈺即皇帝位，進兵部尚書。他整飭兵備，擊敗瓦剌軍隊，取得北京保衛戰的勝利。景泰元年（1450），英宗回朝。景泰八年（1457）正月，石亨等人乘景帝朱祁鈺病重，擁英宗復辟，改元天順，並殺害于謙。成化初年，復官賜祭；弘治二年（1489），諡肅湣。萬曆中，改諡忠肅。

王陽明
（1472—1529）

明代著名思想家。名守仁，字伯安，浙江餘姚人，因晚年居於陽明洞，世稱陽明先生。弘治十二年（1499）中進士。正德五年（1510），因上言而得罪宦官劉瑾，謫為貴州龍場（在今貴州修文縣境內）驛丞，於千辛萬苦中悟得「聖人之道，吾性自足」；正德七年（1512），提出「心即理」、「心外無理」；正德十四年（1519），平定了江西寧王朱宸濠叛亂，後因軍功被朝廷封為新建伯；正德十五年（1520），提出「致良知」說，認為人需要的不是外求知識，而是不斷擴充自己內心的良知。他的學說當時影響很大，門人眾多，後世稱作王學或陽明學。

李時珍
（1518—1593）

明代著名醫學家。字東璧，號瀕湖，蘄州（今湖北蘄春）人。秉承家風，愛好醫學、植物學，因醫好楚王之子的氣厥症，被徵任楚王府奉祠正。嘉靖年間曾一度赴京供職太醫院，託病歸，集數十年之功完成《本草綱目》這部中國藥物學的巨著。所著尚有《瀕湖脈學》、《奇經八脈考》、《脈訣考證》、《薖所館詩集》、《白花蛇傳》、《集簡方》等。

張居正
（1525—1582）

明朝後期著名的政治家、改革家。字叔大，號太岳，江陵（今湖北荊州）人，嘉靖二十六年（1547）進士。隆慶元年（1567）入閣，任吏部左侍郎兼東閣大學士。隆慶六年（1572），取代高拱出任首輔，輔佐年僅十歲的萬曆皇帝。萬曆朝的前十年，張居正積極整頓吏治，推行一條鞭法，丈量土地，使明王朝的政治和財政危機得到暫時的緩解。萬曆十年（1582），張居正逝世，諡文忠。萬曆

明

十二年（1584），抄張居正家。天啟二年（1622），廷臣訟其冤，復故官，賜祭葬。

施耐庵

元末明初小說家。生平事跡不詳，大約生活在 14 世紀，是明初《水滸傳》的整理者。比較流行的說法稱其名耳，又名子安，字耐庵，錢塘（今浙江杭州）人。或說他祖籍蘇州，晚年遷居興化。或說他曾在 1331 年左右中進士，任官杭州；或說他曾參加元末張士誠起義，失敗後移居興化。這些傳說都缺乏有力證據，不足全信。

羅貫中

元末明初小說家。又名羅本、羅貫、羅道本，字名卿，號湖海散人，山西太原人，或說錢塘（今浙江杭州）或廬陵（今江西吉安）人，其後半生可能生活在錢塘。生平事跡不詳，逝世之年應在明洪武三年（1370）以後。他是一個小說家，可能還是一個戲曲作家和出版商。除了編纂《三國志通俗演義》，他還編纂了《三遂平妖傳》等一系列作品，而施耐庵的《水滸傳》亦可能經其潤色。

吳承恩
（約 1500—1582）

明代著名小說家。字汝忠，號射陽山人，山陽（今江蘇淮安）人。嘉靖時舉為歲貢生，屢試不第。嘉靖二十八年（1549）遷居南京，賣文為生。三十九年（1560），任長興縣丞，不久辭職歸。隆慶四年（1570）開始撰寫《西遊記》。所著尚有《花草新編》、《禹鼎志》等，多散佚，今存《射陽先生存稿》四卷、《續稿》一卷。

李贄
（1527—1602）

明代思想家。初姓林，名載贄，後改姓名為李贄，字宏父，號卓吾，又號思齋、禿翁、龍湖叟、溫陵居士、百泉居士，福建晉江人，嘉靖三十一年（1552）舉人。萬曆八年（1580），時任雲南姚安知府的李贄放棄做官，轉而致力於學，遊走於官僚、平民、僧儒之間。他的思想充滿了反叛精神，如視臣下對君主的愚忠為「痴」，攻擊儒家經典，點評《忠義水滸傳》、《三國志演義》等小說而常有異端言論。其作品及思想在萬曆年間極為流行，引起了封

明

建衛道士的緊張。萬曆三十年（1602）二月，時在通州養病的李贄被捕。三月十五日，在獄中以剃刀割喉自殺。

湯顯祖
（1550—1616）

明代著名戲曲家。字義仍，號海若、海若士、若士、繭翁、清遠道人，臨川（今江西撫州）人。萬曆十一年（1583）中進士，歷任南京太常寺博士、詹事府主簿、禮部祠祭司主事。十八年（1590），因上言輔臣失政，謫為雷州徐聞縣典史，遷浙江遂昌知縣。二十六年（1598），因被劾告歸，次年大計，黜官。家居二十年，專意著述，研精詞曲，名重一時，書齋有「玉茗堂」、「清遠樓」。所著除詩文集外，還有戲曲多種，而尤以《紫釵記》、《牡丹亭》、《南柯記》、《邯鄲記》著名，合稱「玉茗堂四夢」或「臨川四夢」。

利瑪竇
（Matteo Ricci,
1552—1610）

明末來華耶穌會傳教士。意大利人，1552年出生於山城馬切拉塔（Macerata），1571年成為耶穌會見習修士，在羅馬接受神學、古典文學以及自然科學方面的訓練，1582年到達澳門，次年進入廣東，1601年向明神宗進呈自鳴鐘等方物，從此留居北京，直至1610年逝世。利瑪竇提倡傳教的「適應」策略，主張尊重中國風俗，自己也儒冠儒服，以爭取儒家士大夫的支持。他刊印《坤輿萬國全圖》，翻譯《幾何原本》、《圜容較義》，向中國傳播了西方的地理學、數學知識，又曾將中國的《四書》轉譯為拉丁文，為中西文化交流作出了重要貢獻。

徐光啟
（1562—1633）

明代傑出的科學家。字子先，號玄扈，松江府上海（今上海市）人，萬曆三十年（1602）受洗為天主教徒，萬曆三十二年（1604）進士，官至禮部尚書、文淵閣大學士。他精通數學、曆法和農學，曾協助利瑪竇翻譯《幾何原本》，又參與翻譯《測量法義》、《泰西水法》等書，撰寫《農政全書》；崇禎初年主持修訂曆法，聘請傳教士龍華民、湯若望等參與修曆，而《崇禎曆書》最終由李天經等人在崇禎十一年（1638）修成。

明

徐霞客
（1586—1641）

　　明代著名地理學家。名弘祖，字振之，號霞客，江陰人。少年好學，喜讀奇書，博覽古今史籍、圖經地志。二十二歲起，棄科舉業，風餐露宿遍遊華北、華東、華南、西南山水，考察自然地貌，水文氣候、植被動物、風俗習慣、經濟狀況。前後三十餘年，寫下著名的《徐霞客遊記》。崇禎十三年（1640），病倒於雲南麗江，被人護送回鄉，次年卒於江陰。

宋應星
（1587—約 1666）

　　明代著名科學家。字長庚，江西奉新人，萬曆四十三年（1615）舉人，崇禎時歷任分宜教諭、汀州推官、亳州知州，後棄官，終老於鄉。宋應星所著頗多，既有針對明末的政治和經濟危機提出應對措施的政論性著作《野議》，又有充分展現其唯物主義傾向的哲學著作《論氣》、《談天》，而最著名的當數其科學著作《天工開物》。該書詳細記載了明中葉以前中國古代的各種技術，被譽為 17 世紀中國科技百科全書。

湯若望
（Johann Adam
Schall von Bell,
1591—1666）

　　明末清初來華耶穌會傳教士。德國人，字道未。明萬曆四十七年（1619）來到中國，抵達澳門，天啟二年（1622）到北京，學習漢語，後至西安傳教。崇禎三年（1630），經徐光啟推薦，到北京參修《崇禎曆書》。清順治二年（1645），他將《崇禎曆書》稍加整理，成《西洋新法曆書》，稱《時憲曆》，頒行天下，此後長期任清朝的欽天監監正。康熙四年（1665），以楊光先上《辟邪論》，反對西洋曆法，湯若望下獄，時稱「曆獄」。次年獲釋，不久病逝於京城。

朱舜水
（1600—1682）

　　明末清初著名思想家。名之瑜，字楚嶼，一字魯嶼，號舜水，浙江餘姚人，明末貢生。崇禎末年，因不滿政局，多次拒絕徵召。明亡後，流亡海上，多次來往於日本、安南、暹羅等地，籌劃反清復明。南明永曆十二年（1658），參與鄭成功、張煌言的抗清活動，失敗後東渡，定居日本。在長崎、江戶（今東京）、水戶等地授徒講學

明

二十餘年，傳播中國儒學及建築、農藝等方面的技術知識，後被水戶藩主德川光圀聘為賓師，對日本儒學的水戶學派影響深遠。卒後，日本學者私謚為文恭先生。

明

**一
七大恨**

　　明萬曆四十六年（1618），後金國汗努爾哈赤在赫圖阿拉以「七大恨」告天，誓師反明。「七大恨」的主要內容是：努爾哈赤的祖父、父親被明軍殺害；明朝政府對待女真各部不公平，偏袒葉赫，壓制建州；明朝政府不遵界約，侵佔建州取得的哈達的土地。「七大恨」強烈地反映了建州女真的民族情緒。誓師反明，有反抗民族壓迫的正義的一面，又有到漢族農業區掠擄人口、耕牛、糧食的落後的一面。

**一
八旗**

　　清代滿族軍事、社會組織。明萬曆二十九年（1601），努爾哈赤在「牛錄制」基礎上初置黃、白、紅、藍四旗，四十三年（1615）復增編鑲黃、鑲白、鑲紅、鑲藍四旗，正式建立八旗之制。皇太極時，降附的蒙古人、漢人增多，分別編為八旗蒙古和八旗漢軍，原設八旗遂為八旗滿洲。順治八年（1651），多爾袞死後，正白旗收為皇帝自領，遂以鑲黃、正黃、正白三旗為上三旗，餘為下五旗。八旗實行旗（滿名固山）、參領（滿名甲喇）、佐領（滿名牛錄）三級管理體制，各以都統（滿名固山額真）、參領（滿名甲喇章京）、佐領（滿名牛錄章京）為統率官員。

**一
山海關**

　　在河北秦皇島市東北 15 公里。明洪武十四年（1381）大將徐達在此構築長城，建關設衛。因關在山海之間而得名。北依燕山，南臨渤海，地勢險要，是東北、華北間的咽喉要衝，歷史上為兵家必爭之地，有「兩京鎖鑰無雙地，萬里長城第一關」之說。明長城從山海關南面海濱的老龍頭，經山海關蜿蜒越群山之巔而向北延伸。山海關東依長城，關四門，東曰「鎮東」，即「天下第一關」；西曰「迎恩」，南曰「望洋」，北曰「威遠」，各門上均築城樓，城中心築鐘鼓樓，城外繞以護城河。關周圍有軍事設施和建築物。1644 年四月，滿洲八旗騎兵與明朝降將吳三桂軍

合力，在山海關石河西岸擊潰大順農民軍，由此進入北京。

**一
滿洲**

（1）族名。即滿族，為中國少數民族之一。16 世紀末至 17 世紀初，以建州女真和海西女真為主體，並將散居東北各地的女真各部統一而成的共同體。後金天聰九年（1635），皇太極正式下令改舊族名「諸申」（女真）為滿洲。辛亥革命後簡稱滿族。（2）地名。清末日俄帝國主義者入侵，假部族名為地名，稱東三省為滿洲，並有南滿、北滿之稱。

**一
議政王大臣
會議**

清代前期由議政王大臣協議國政的制度。其端緒可追溯到努爾哈赤諸貝勒共議國政的制度。他們除贊決軍國重務外，甚至還能廢立國汗。皇太極繼位後，為了削弱和限制諸大貝勒的權力，增加了議政成員。議政的內容既有軍國大事，也有制定法規、處理王公大臣等。入關之後，議政王大臣會議仍有很大權力。這就與皇帝集權發生了矛盾。皇帝不斷採取措施，抑制議政王大臣會議的權力。雍正年間設立軍機處後，議政王大臣會議形同虛設，遂於乾隆五十六年（1791）取消。

**一
「太后下嫁」**

清初三大疑案之一的「太后下嫁」，說的是順治朝太后博爾濟吉特氏下嫁給攝政王多爾袞。博爾濟吉特氏史稱「孝莊文皇后」，蒙古族人，是清太宗皇太極妃，順治帝福臨的生母，康熙帝玄燁的親祖母。她身經三朝政局變化，扶助兩個幼年皇帝，掌握和影響朝政達幾十年。多爾袞是清太祖努爾哈赤第十四子，順治元年（1644）統兵入關，是清帝國的實際開創者。「太后下嫁」之說流傳三百餘年。有學者撰文，力辯其無；有學者推論，確有其事。

**一
保甲**

縣一級基層地方政權之下建立的鄉兵組織和社會基層組織。隋文帝令五家為保，五保為閭，四閭為族，皆設正為其長。宋神宗時，規定相鄰十戶為一小保（後減至五戶），十小保為一大保（後減為五小保），十大保為一都

保。分別選主戶任保長、大保長等。保內如有犯罪，知而不報，連坐處分。清朝初年實行保甲法，州縣城鄉，十戶立一牌頭，十牌立一甲頭，十甲立一保長。每戶給一印牌，上寫姓名丁口，出則注其所往，入則查其所來。

里甲

明清時期社會基層組織形式和編僉徭役的基本單位。以相鄰的一百十戶為一里，推其中丁、田最多的十戶輪流充當里長。其餘一百戶分為十甲，每甲十戶輪流充當甲首。里長和甲首輪流服役。每到編審之年，再按丁田的變化重新編排。里甲人戶載在黃冊，遇有差役，憑冊僉派。

養廉銀

清代官吏於常俸之外按品級另給津貼銀兩，稱為養廉銀。意在杜絕貪墨，廉潔官守。養廉銀之設，始於雍正二年（1724），山西巡撫諾岷奏請將耗羨存公者，以其盈餘定為各官養廉。嗣後各省俱奏請仿效。這一做法至少有兩點重大的改革：一是各官養廉銀定額化，二是改各官自取為全省統一支給。這就意味着原來無限制的非法侵漁，轉變為制度化的合法收入。不過，在腐朽的官僚制度下，真正要杜絕貪污、限制私派，那是很困難的。這是統治者在整頓財政制度、進行賦稅改革中無法解決的矛盾。

噶倫

官名，藏語音譯，亦作噶隆、噶布隆、噶布倫。噶廈（清代西藏地方政府）主管官，設四人，三俗一僧，其中一人為首席噶倫。秉承駐藏大臣及達賴喇嘛之命，共同主持西藏的行政事務。依清制為三品官，頒噶廈之「德吉瑪」印章，以發佈政令。授札薩克銜，多由大貴族充任。

駐藏大臣

清代派駐西藏的最高軍政長官。雍正五年（1727）置，初設二人。統掌前藏、後藏之軍政。乾隆十六年（1751），清廷頒佈《西藏善後章程》，明確規定由達賴喇嘛和駐藏大臣共理藏政。乾隆五十八年（1793），清廷又頒佈了《欽定西藏章程》。這是清朝比較完備的一部治藏法典，內容包括政治、軍事、財政、司法、宗教等方面。

青

《章程》根據西藏的特點，既充分尊重達賴、班禪的地位，又強調了駐藏大臣的作用，進一步提高駐藏大臣的職權。明確規定：駐藏大臣總攬全藏，主管西藏僧俗官員的任免，稽查財政收支，掌管藏區軍隊的調遣，督察司法、田產、戶籍等項事宜，巡視邊境防務，辦理一切涉外事項。

噶廈

藏語音譯，意為「發佈命令的機關」，清代西藏地方政府。由三名貴族和一名僧侶組成，秉承駐藏大臣及達賴喇嘛之命，共同處理西藏行政事務。參加噶廈的四人稱噶倫（亦作噶隆、噶布隆），由清政府授予三品官銜。下屬藏官有仔琫、商卓特巴、業爾倉巴、朗子轄、協爾幫、達琫等，分別掌管商務、財務、刑名、馬廠等。

第巴

一作牒巴，亦稱第悉。藏語，意為酋長、頭目、首領。清初文獻中對執掌西藏事務的官員的稱謂。由蒙古固始汗及其繼承者商同達賴喇嘛任命，共歷八任，其治事處稱「第巴雄」（雄，藏語，意為官府），權力甚大。康熙六十年（1721）清政府廢除第巴執政之制，改設噶倫聯合執政。此後以第巴為地方官吏之名，加職名於前，如司牛羊第巴、司帳第巴等。

札薩克

亦作扎薩克，官名。蒙古語音譯，源出「扎撒」（法令）一詞，意為執掌政令者，旗長。清代外藩蒙古和哈密、吐魯番回部每旗置札薩克一人，由理藩院於各旗王公貴族內挑選請旨充任，掌管一旗之政令，直隸理藩院，受中央監督及當地將軍、大臣等節制。下設協理台吉、管旗章京、副章京等官協理事務。此外，內蒙古六盟各設備兵札薩克一人，管理本盟之軍務。

伯克

維吾爾語音譯，「長官」的意思。維吾爾族舊制，凡官皆曰伯克，其職用號加以區別。乾隆二十四年（1759）清政府平定大小和卓叛亂後，根據新疆維吾爾族地區的特點，沿用伯克制，同時適當地進行了改造，如劃定品級、

發給「頂翎」、「鈐記」，又廢除世襲，規定高級伯克須經朝廷任命，在俸祿和養廉方面也做了若干規範。這樣做照顧了上層貴族的固有利益，同時又使中央政府能加以控制。

伊犁將軍

清代新疆地區最高軍政長官，全稱為「總統伊犁等處將軍」。乾隆二十七年（1762）設，駐伊犁惠遠城，代表清廷中央總攬全疆各項軍政事務。伊犁將軍之下，設都統、參贊大臣、辦事大臣、領隊大臣等職，分駐天山南北，管理本地軍政事務。各級軍政長官的分佈，根據形勢和治理需要，在不同時期有所變化。光緒十年（1884）新疆建省後，伊犁將軍的權限大大縮小。辛亥革命後廢除。

改土歸流

清代改土司為流官的政治舉措。西南是中國少數民族分佈最多的地區，長期實行土司制度。隨着歷史的發展，土司制度的弊端和危害日益明顯。順治、康熙時期，清政府在部分地區實行改土歸流。雍正年間，在雲貴總督鄂爾泰的提議下，清政府在西南地區大規模地進行改土歸流。運用政治手段輔之以武力廢除土司制度，分別設立府、廳、州、縣，委派流官進行統治。各項制度與措施大體與內地保持一致。這是清政府的一項重大改革。它打擊了土司割據勢力，減少了叛亂因素，加強了中央政府對邊疆的統治，一定程度上廢除了土司、土官凌虐屬民的制度，有利於少數民族地區社會經濟文化的發展。

藩屬國

與中國保持宗藩關係的國家。中國傳統的藩屬國有朝鮮、琉球、安南（今越南）等。所謂宗藩關係，在某種意義上可以說，是封建君臣關係在國家關係上的體現。它雖然是一種以小事大、不平等的關係，但它又是歷史上宗主國和藩屬國政治、經濟和思想文化互動關係的一種延續。它和近代資本主義、帝國主義依靠武力征服形成的與殖民地、附屬國的關係不同。宗主國對藩屬國主要是為了維護「萬邦來朝」的天朝「尊嚴」。藩屬國國王定期向清朝皇帝進表納貢。清廷有大的慶典活動，屬國派使臣前往祝賀。

清朝皇帝除向屬國頒佈敕諭詔旨、派遣使臣外，還要向國王和來使進行賞賜，表明天朝「懷柔遠人，厚往薄來」之意。使臣及其隨員來華時，又進行了貿易往來和文化交流。

馬戛爾尼使團

乾隆五十八年（1793），英國以為乾隆帝祝壽的名義向中國派遣的以馬戛爾尼（George Macartney）為首的使團。乾隆帝在熱河避暑山莊接見並宴請了英國使團，接受了英使呈遞的國書和禮品清單，並向英王及使團回贈了禮物。馬戛爾尼向清政府提出了六項要求。這些要求一部分是屬於希望改善貿易關係的正常要求，一部分則具有殖民主義侵略性，如割讓島嶼。乾隆帝對英使的六項要求逐條駁斥，催促他們起程回國。清政府斷然拒絕英國的割地要求，這是完全正確的，它維護了國家的主權，抵制了殖民主義的侵略。但是，清政府不願打開中國的大門，閉關自守，又使中國失去了一次了解世界、擴大經濟文化交流的歷史機遇。

最惠國待遇

指一國在通商、航海、稅收或公民法律地位等方面給予另一國享受現時或將來所給予任何第三國同樣的優惠待遇。最惠國待遇的取得必須有條約和根據。最惠國待遇一般是相互的，締約雙方相互享受最惠國待遇。但清朝與外國簽訂的條約，往往只規定該締約國得享受最惠國待遇，而中國則無對等權利，是片面最惠國待遇。如1843年中英《虎門條約》規定：「設將來大皇帝有新恩施及各國，亦應准英人一體均沾，用示平允。」這就是說只要中國給其他國家好處，英國就可以同享，但是卻未提英國給予中國同等待遇。這就成為簽約雙方不平等的片面最惠國待遇。

黃教

藏傳佛教派別之一。因格魯派僧人戴黃色僧帽，俗稱「黃教」。達賴、班禪是該派兩大活佛轉世系統。在清廷大力扶持下，格魯派成為西藏地方執政的教派。該派寺院眾多，著名的有西藏的甘丹寺、哲蚌寺、色拉寺、扎什倫布寺、青海的塔爾寺、甘肅的拉卜楞寺。在達賴五世時還大

規模擴建拉薩布達拉宮，作為達賴喇嘛的駐地。達賴七世時修建了羅布林卡，作為達賴喇嘛夏天居住的地方。該派各大寺院建築宏偉，僧人眾多，塑像精美，有一整套學經修習制度。

達賴喇嘛

藏傳佛教格魯派（黃教）最高領袖人物之一。明朝萬曆六年（1578），蒙古土默特部領袖俺答汗尊格魯派領袖人物索南嘉措為「聖識一切瓦齊爾達喇達賴喇嘛」。自此建立達賴喇嘛活佛轉世系統。索南嘉措被認定為達賴三世。達賴一世和達賴二世皆為追認。順治十年（1653），清廷封達賴五世阿旺羅桑嘉措為「西天大善自在佛所領天下釋教普通瓦赤喇怛喇達賴喇嘛」，賜金冊金印。從此，歷世達賴喇嘛必經中央政府冊封。

班禪額爾德尼

藏傳佛教格魯派（黃教）最高領袖人物之一。17 世紀初，日喀則扎什倫布寺座主羅桑卻吉堅贊因佛學淵博被當地人尊稱為「班禪」，意為大學者。清順治二年（1645），蒙古和碩特部首領固始汗尊羅桑卻吉堅贊為「班禪博克多」。康熙元年（1662），羅桑卻吉堅贊圓寂，達賴五世阿旺羅桑嘉措為他尋訪轉世靈童，正式建立班禪活佛轉世系統。羅桑卻吉堅贊為班禪四世，一世至三世均屬追認。康熙五十二年（1713），清廷封班禪五世羅桑意希為「班禪額爾德尼」，賜金冊金印。從此，歷世班禪額爾德尼都必須經中央政府冊封。

金瓶掣籤

清代為確認黃教大活佛轉世所特定的抽籤辦法。乾隆五十七年（1792），清廷頒發兩個金瓶，一個放置在拉薩大昭寺，一個放置在北京雍和宮。凡達賴、班禪、哲布尊丹巴、章嘉呼圖克圖及其他黃教大活佛轉世時，將候選「靈童」的名字用滿、漢、藏三種文字書寫在象牙籤上，置於金瓶之中，由駐藏大臣在大昭寺，或由理藩院尚書在雍和宮監督，當眾掣籤，以決定人選。此後成為定制。

青

一
坐床

藏傳佛教新轉世活佛接替前世活佛法位時的升座儀式。經此儀式後，靈童始正式成為活佛。達賴、班禪「坐床」前須奏請中央政府批准，由中央派駐藏大臣或特別代表赴西藏出席，主持坐床儀式，始能生效。屆時中央大臣當眾宣佈認定的聖旨及准許啟用達賴、班禪印信的指令等。

一
啟蒙思潮

明清之際，劇烈動盪的社會現實促使學者反思，總結歷史的教訓。因此，湧現出了一批傑出的思想家。他們從不同角度提出了一系列富有創見的新思想新觀念，形成早期啟蒙思潮。黃宗羲、顧炎武、王夫之就是他們中的代表人物。他們治學的規模宏偉博大，具有批判精神和求實精神，以犀利的筆鋒，奔放的激情，抨擊了封建專制主義，抒發了深刻而新穎的政治觀點、哲學觀點，不僅在當時引起思想界的共鳴，而且對清末維新思潮的興起產生過積極的推動作用。

一
強學會

戊戌變法時期以北京為中心的維新派政治團體，又名譯書局，亦稱強學局或強學書局。由康有為發起，帝黨贊助，翰林院侍讀學士文廷式出面，於光緒二十一年（1895）十月初（一說七月初）成立於北京。其宗旨是求中國自強。總董為：陳熾、丁立鈞、張孝謙、沈曾植，張孝謙主其事。列名會籍或參與會務的有：梁啟超、麥孟華、汪大燮、沈曾桐、楊銳、袁世凱、徐世昌等數十人。規定每十日集會一次，每次有人發表演說。後決定以報事為主，將《萬國公報》改名《中外紀聞》，作為機關報。在上海設分會，發行《強學報》。同年十二月初六，御史楊崇伊奏劾強學會「私立會黨，將開處士橫議之風」，遂被清廷封禁。

一
《古今圖書集成》

一部大型的類書。它分列門類綱目，薈萃群書，從各種典籍中按類採擇摘錄，彙編成書。由陳夢雷主持編纂，初名《古今圖書彙編》。進呈御覽後，康熙帝賜名為《古今圖書集成》。該書於雍正年間出版，共有一萬卷，分為曆象、方輿、明倫、博物、理學、經濟六編，下設三十二

典，六千一百零九部。每部又有彙考、總論、圖表、列傳、藝文等類目。內容廣泛，材料豐富，分類詳細，成為中國古代的一部大百科全書。

《四庫全書》

中國歷史上最大的一部叢書。它把中國古代重要的典籍首尾完整地抄錄下來，分編於經、史、子、集四部四十四類之下。共收圖書三千五百零三種，近八萬卷，包羅萬千，廣博浩瀚，為中國古代思想文化遺產之總彙。編纂工作從乾隆三十八年（1773）設立四庫館開始，至五十二年（1787）《四庫全書》繕寫完畢止，歷時十五年。全書共繕寫七部，分貯於內廷文淵閣、圓明園文源閣、避暑山莊文津閣等地。此外，又由紀昀等人撰寫了《四庫全書總目》，對一萬多種圖書（包括著錄和存目）作了介紹和評論。然而，編纂《四庫全書》的過程也是禁書毀書的過程。在這期間清廷禁毀的圖書多達三千一百多種，無異於一場文化浩劫。

揚州八怪

清中葉揚州畫壇出現的一個畫派。據《甌缽羅室書畫過目考》載，「八怪」為金農、黃慎、鄭燮、李鱓、李方膺、汪士慎、高翔、羅聘八人。此後的記載也有將華嵒、高鳳翰、陳撰、閔貞、邊壽民等列入。「八」不一定是實數。這批畫家大多出生於封建社會下層，有的曾做過地方官，有的終生布衣，都比較接近社會現實。他們繼承了徐渭、朱耷特別是石濤的獨創精神，打破束縛，各抒所長，形成了自己獨特的風格。由於他們的畫風和正統派形成鮮明對比，因而被稱為「八怪」。

黃宗羲
（1610—1695）

字太沖，號南雷，又號梨洲，浙江餘姚人。其父尊素，東林名士，被魏忠賢害死。宗羲十九歲時，進京為父鳴冤，以鐵錐刺殺仇敵，聲震朝野。崇禎末年，與東林後裔一百四十餘人作《南都防亂揭》，聲討閹黨餘孽阮大鋮。清兵南下，召募義勇進行抵抗。後退守四明山，又渡海追隨南明魯王，官至左副都御史。失敗後，專意著述和講

學，弟子林立，聲名遠播。康熙時舉博學鴻儒，薦修《明史》，均不就。一生博學多識，勤於著述，為後世留下了大量的著作。其中《明夷待訪錄》、《明儒學案》、《明文海》等影響深遠。

顧炎武
（1613—1682）

原名絳，字忠清，明亡後改名炎武，字寧人，或自署蔣山傭，學者稱亭林先生，江蘇崑山人。明季諸生，少時加入復社。清兵南下，在蘇州參加抗清活動。失敗後，離鄉北遊，往來於山東、河北、河南、山西、陝西等省。行萬里路，讀萬卷書，以其深湛的學術造詣而名著朝野。但是，清廷幾度徵聘，他都斷然拒絕。晚年定居陝西華陰。為學以「明道救世」為宗旨，主要著作有《日知錄》、《天下郡國利病書》、《音學五書》、《亭林詩文集》等。

王夫之
（1619—1692）

字而農，號薑齋，學者尊為船山先生，湖南衡陽人。明崇禎舉人。清兵南下，在衡山舉兵抵抗。失敗後，投奔南明永曆政權，任行人司行人。因疏劾權奸，險遭殘害。後歸衡陽，於石船山築土室，深居簡出，潛心寫作。學識淵博，著述宏富。重要著作有《周易外傳》、《尚書引義》、《讀四書大全說》、《永曆實錄》、《讀通鑒論》、《宋論》、《張子正蒙注》、《思問錄》、《老子衍》、《莊子解》、《黃書》、《楚辭通釋》等。他和同時代的啟蒙者一樣，憎恨封建君主專制制度。無論是他的政論、史論及至某些經學、哲學著作都貫穿著他對封建專制主義的批判。

施琅
（1621—1696）

字尊侯，號琢公，福建晉江人。早年曾是鄭芝龍、鄭成功的部將，降清後，歷任同安副將、總兵官。康熙元年（1662）升福建水師提督，後授靖海將軍、內大臣，隸漢軍鑲黃旗。康熙二十年（1681）復任福建水師提督。二十二年（1683）率師攻克澎湖，統一台灣，以功封靖海侯。曾上疏建言，力主設兵守台，鞏固邊防，維護統一，防止外來侵略。康熙二十三年（1684），清廷在台灣設置台灣府。台灣的行政建制從此與內地劃一。

清

　　叁────歷代關鍵詞

閻若璩
（1636—1704）

字百詩，號潛丘，祖籍山西太原，客居江蘇淮安。少為諸生，後在科場角逐中屢屢受挫。康熙十七年（1678）詔舉博學鴻儒，應薦入京與試，再遭敗北。學問淵博，精於考據。自二十歲起，即開始留意《古文尚書》疑案的梳理。日積月累，潛心數十年，著《古文尚書疏證》，列證一百二十八條，以證其偽。他不僅以考訂晚出《古文尚書》為偽作而名重一時，而且也因之享盛名於後世。又精於地理之學，對山川形勢，州郡沿革，均能考其源流，曾應聘參與修撰《一統志》。另著有《潛丘札記》、《四書釋地》、《孟子生卒年月考》、《困學紀聞三箋》等。

惠棟
（1697—1758）

字定宇，號松崖，江蘇吳縣人。祖周惕、父士奇，皆治《易》學，三世傳經。他早年為諸生，隨父宦居廣東，以工於文詞著稱。乾隆初，父病故，僻居蘇州，課徒自給。潛心經術，尤精通《易》學。撰有《易漢學》、《周易述》、《周易本義辨證》、《易例》、《易大義》等。一生表彰漢《易》，復興漢學，影響甚大。於《尚書》、《春秋》諸經皆有研究，兼長史學、文學，著有《古文尚書考》、《左傳補注》、《九經古義》、《後漢書補注》等。

曹雪芹
（約 1715—1763）

名霑，字夢阮，號雪芹，又號芹圃、芹溪，漢軍正白旗（一說滿洲正白旗）人。他的父祖輩一直世襲江寧織造，與清廷保持非同尋常的關係。他小時候居南京，享受榮華富貴。雍正六年（1728）因家產被抄，隨家遷居北京。家境每況愈下，敗落不堪。晚年居住西山，窮愁潦倒，痛感世態炎涼，憤而著書，致力於章回體小說《石頭記》的創作。逝世前，完成前八十回。後經高鶚補為完書一百二十回，改題《紅樓夢》刊行。這是一部融高度思想性和高度藝術性於一體的不朽的現實主義傑作，在中國小說史上具有極其重要的意義。

戴震
（1724—1777）

字東原，安徽休寧人。因家貧，早年曾隨父經商，後以教書為業，並師從名儒江永。三十餘歲，避仇入京，廣

交當時名流紀昀、錢大昕、王鳴盛、王昶、朱筠等，以諳熟天文數學、聲韻訓詁和古代禮制而聲重京師。四十歲中舉，會試則屢屢失意，久未如願。只得往來於南北，寄人籬下，充任幕賓。乾隆三十八年（1773）以舉人特召入《四庫全書》館。四十年（1775）賜同進士出身，授翰林院庶吉士。學問廣博，卓然自立，著有《孟子字義疏證》、《原善》、《緒言》等。

章學誠
（1738—1801）

字實齋，浙江會稽（今紹興）人。早年隨父宦遊湖北，後師從翰林院編修朱筠。乾隆三十六年（1771），朱筠出任安徽學政，他應聘南下，從此開始了長達數十年的幕賓生涯。其間雖於乾隆四十二、四十三兩年（1777—1778）連捷鄉、會試，五十二年（1787）又獲謁選知縣機會，但終未入仕。他一生作幕南北，足跡遍佈河北、河南、安徽、湖北、江蘇、浙江等地。歷主定州定武、肥鄉清漳、永平敬勝、保定蓮池、歸德文正諸書院講席，主持纂修和州、永清、亳州諸州縣志和《湖北通志》。著有《文史通義》、《校讎通義》。

林則徐
（1785—1850）

字元撫，一字少穆，晚號竢村老人，福建侯官（今福州）人。嘉慶進士。歷任浙江杭嘉湖道、江蘇按察使、江蘇巡撫。道光十七年（1837）升湖廣總督。十八年（1838）上奏道光帝，贊同黃爵滋禁食鴉片的主張，強調法當從嚴。十一月受命為欽差大臣，前往廣東禁煙。次年，在虎門海灘當眾銷煙，並大力整頓海防，積極備戰，屢敗英軍武裝挑釁。與此同時，他開眼看世界，派人翻譯外文書報，主編《四洲志》，提倡「師夷長技以制夷」。鴉片戰爭爆發後，受誣被革職，充軍新疆伊犁。二十五年（1845）起復，署陝甘總督，後任陝西巡撫、雲貴總督。著有《林則徐集》等。

龔自珍
（1792—1841）

又名鞏祚，字璱人，號定盦，浙江仁和（今杭州）人。曾從外祖父段玉裁習文字學，後從劉逢祿學今文經學，究

清

心於經世致用。道光進士，曾任內閣中書、禮部主事。著有《明良論》、《乙丙之際著議》等，揭露社會的腐朽衰敗，強調改革是歷史的必然。致力於邊疆歷史地理的研究，撰《西域置行省議》，主張加強對新疆的管理。道光十九年（1839）辭官回鄉，沿途記錄見聞，追憶往事，作七言絕句三百多首，題為《己亥雜詩》。其中的名篇「九州生氣恃風雷，萬馬齊暗究可哀。我勸天公重抖擻，不拘一格降人才」傳誦至今。

魏源
（1794—1857）

原名遠達，字默深，湖南邵陽人。道光進士。曾從劉逢祿研治今文經學，學識淵博，淹貫經史。道光六年（1826），受江蘇布政使賀長齡之聘，輯成《皇朝經世文編》。鴉片戰爭時，在兩江總督裕謙處充任幕僚，參與抗英。次年，《南京條約》簽訂，憤而著書，成《聖武記》十四卷，歷述清初至嘉慶時的重大史事，於政治得失多有評論。受林則徐囑託，據《四洲志》及中外文獻資料編成《海國圖志》，詳細介紹海外各國情況，主張學習西方的科學技術，「師夷長技以制夷」。

曾國藩
（1811—1872）

湖南湘鄉人，道光進士，歷任內閣學士、侍郎。咸豐二年（1852）赴長沙幫辦湖南團練，後擴編為湘軍。四年（1854）發佈《討粵匪檄》，率兵鎮壓太平天國。十年（1860），授兩江總督、欽差大臣，督辦江南軍務。翌年，奉命統轄江蘇、安徽、江西、浙江四省軍務。同治三年（1864）攻陷天京（今南京），封一等侯爵，加太子太保。後任直隸總督、兩江總督。在同太平軍作戰和同外國勢力的接觸中，他認識到西方武器的先進，購買西方的洋槍洋炮、機器裝備；學習西方的科學技術，興辦近代企業，製造新式武器；主張培育新式人才，向美國派遣幼童留學生，推動了洋務運動的開展。

左宗棠
（1812—1885）

字季高，湖南湘陰人，道光十二年（1832）中舉，後屢試不第。咸豐十年（1860）由曾國藩保舉以四品京堂襄

辦軍務，與太平軍作戰。後歷任浙江巡撫、閩浙總督、陝甘總督。同治六年（1867）以欽差大臣督辦陝甘軍務，先後消滅捻軍和回民起義軍，授協辦大學士。光緒元年（1875），任欽差大臣督辦新疆軍務，率軍討伐阿古柏，先後收復天山北路、南路。新疆平定後，建議新疆設省，並提出若干具體措施，促進新疆地區經濟文化的發展。七年（1881），任軍機大臣、總理衙門大臣。翌年調兩江總督兼通商事務大臣。後病死於福州。

洪秀全
（1814—1864）

廣東花縣人。早年入塾讀書，但屢試不第。後創設拜上帝會，立志剷除妖魔，實現「天下一家，共享太平」。道光三十年十二月初十日（1851 年 1 月 11 日），在廣西金田發動武裝起義。建號太平天國，稱天王，分封五王。隨後，太平軍入湖南、湖北，克九江，下安慶，攻蕪湖。咸豐三年（1853），攻下南京，在此定都，改稱天京，頒行《天朝田畝制度》，分軍北伐、西征。後天京內訌，大大削弱了自身力量。中外反動勢力聯合鎮壓，天京被清軍包圍。同治三年（1864）四月，洪秀全病逝。六月，天京被攻陷，太平天國起義失敗。

李鴻章
（1823—1901）

安徽合肥人，道光進士，改翰林院庶吉士，散館授編修。因編練淮軍，鎮壓太平天國，升任江蘇巡撫，封一等肅毅伯。繼任湖廣總督、直隸總督兼北洋大臣，後授武英殿大學士、文華殿大學士，仍留總督任。掌管清廷軍事、經濟、外交大權，成為洋務派首領。他先後開辦了一批近代軍事工業和民用工業，主要有：江南製造總局、金陵機器局、上海輪船招商局、開平煤礦、漠河金礦、天津電報局、上海機器織布局、津榆鐵路等。他還創立北洋水師學堂，建立北洋海軍。然而，甲午戰爭中國戰敗，北洋艦隊覆沒，洋務運動以失敗而告終。在外交事務上，他周旋於列強之間，妥協求和。光緒二年（1876）與英國簽訂《煙台條約》，十一年（1885）與法國簽訂《中法新約》。二十一年（1895）與日本簽訂《馬關條約》。次年奉命出

使俄國，訂立《中俄密約》。二十七年（1901）與列強簽訂《辛丑條約》。同年病死。

慈禧太后
（1835—1908）

又稱西太后、那拉太后，滿洲鑲藍旗（後抬入鑲黃旗）人，葉赫那拉氏。咸豐帝的妃子，封號先後為蘭貴人、懿嬪、懿貴妃。咸豐帝死後，其子載淳繼位，她與皇后鈕祜祿氏並尊為皇太后。與皇弟奕訢合謀，殺輔政大臣載垣等人，改年號為同治，實行兩太后垂簾聽政，她掌握實權。同治十三年（1875）載淳病死，年幼的載湉繼位，改元光緒，仍由太后垂簾聽政。光緒十五年（1889），她名為「歸政」，但繼續掌控軍政實權。後又發動戊戌政變，幽禁光緒帝。她是清末同治、光緒兩朝實際的最高統治者，統治中國長達半個世紀。其間，中國的內憂外患日益嚴重。

張之洞
（1837—1909）

直隸南皮（今屬河北）人，同治進士，歷任翰林院侍講學士、內閣學士、四川學政。光緒七年（1881）授山西巡撫。十年（1884）升兩廣總督。後調任湖廣總督、兩江總督，擢體仁閣大學士，授軍機大臣，是晚清洋務運動的首腦之一。在兩廣任上就着手興辦實業，開礦務局。在湖廣任內更是大辦洋務。先後開辦漢陽鐵廠、湖北槍炮廠、湖北織布局、湖北紡紗局等近代企業，籌辦蘆漢鐵路。他又重視文化教育，曾設廣東水陸師學堂，立廣雅書院，創辦兩湖書院。他提出的「中學為體，西學為用」的主張，在中國近代思想史上影響深遠。

嚴復
（1854—1921）

福建侯官（今福州）人。福州船政學堂第一屆畢業。光緒三年（1877）赴英國留學，在格林尼次海軍大學學習戰術及炮台建築等，並潛心研究資產階級政治經濟學說。兩年後學成歸國，任福州船政學堂教習。翌年調天津北洋水師學堂總教習，後升總辦。曾翻譯出版赫胥黎《天演論》，把「物競天擇，適者生存」、「優勝劣敗」的進化論觀點介紹到中國，呼籲國人自強奮鬥，救亡圖存，引起強烈反響。又譯《群學肄言》、《穆勒名學》等，較系統地介

青

紹西方資產階級政治學說，成為中國近代啟蒙思想家。

康有為
（1858—1927）

廣東南海人。光緒十四年（1888）第一次上書清帝，主張變法，因受阻隔，未能上達。二十一年（1895）得知中日訂立《馬關條約》，發動在京會試的各省舉人，聯名上書，要求拒簽條約，遷都抗戰，變法圖強。遂創辦報刊，成立學會，宣傳維新，並連續向皇帝上書。二十四年（1898），受光緒帝召見，在總理衙門章京上行走。此後頻上奏摺，對政治、經濟、軍事、文教等方面都提出改革建議，促成「百日維新」。戊戌政變時，遭到通緝，流亡國外，但仍然堅持改良主義，組織保皇會，反對資產階級革命運動。辛亥革命後，任孔教會會長。後逝於青島。

袁世凱
（1859—1916）

河南項城人，光緒八年（1882）隨淮軍提督吳長慶入朝鮮，負責前敵營務處。十一年（1885），被李鴻章保薦為三品道員，改任「駐朝總理交涉通商事宜」。回國後授浙江溫處道，在天津小站訓練新建陸軍。戊戌變法期間，告密出賣維新派，獲慈禧太后寵信。二十五年（1899）升山東巡撫。二十七年（1901）署直隸總督兼北洋大臣，次年實授。三十三年（1907）任軍機大臣、外務部尚書。宣統三年（1911）任內閣總理大臣。1912年中華民國成立後，竊取臨時大總統職位。1913年解散國會，撕毀約法，實行獨裁專制。1915年宣佈改次年為洪憲元年，準備即皇帝位。蔡鍔等人在雲南發動討袁的護國戰爭，各省紛紛響應。1916年3月，袁世凱被迫宣佈取消帝制。6月病死。

黎元洪
（1864—1928）

湖北黃陂人。北洋水師學堂畢業，參加過甲午海戰。後應張之洞之召，隨德國教官訓練湖北新軍，由管帶、統帶擢升為二十一混成協統領。辛亥革命爆發後被擁為湖北軍政府都督。南京臨時政府成立時當選為副總統。1914年，袁世凱解散國會，篡改約法，設參政院，黎元洪任參政院議長。袁世凱死後繼任大總統。1917年與國務總理段祺瑞發生府院之爭，罷免段祺瑞總理職。張勳復辟時出走

天津。1922 年受直系軍閥指使，復任總統，次年又被直系軍閥逐走。後死於天津。

孫中山
（1866—1925）

名文，號逸仙，後化名中山樵，人們稱他「孫中山」。廣東香山（今中山）人，曾留學海外，了解世界形勢，立志救國。光緒二十年（1894）赴天津上書李鴻章，主張變法，遭到拒絕。遂在檀香山組建興中會。次年在香港設總部，籌劃在廣州起義，事洩而敗，逃亡國外。三十一年（1905），在日本東京成立中國同盟會，被推舉為總理。確定同盟會的宗旨「驅除韃虜，恢復中華，建立民國，平均地權」，提出三民主義學說，並多次發動武裝起義。1911 年辛亥革命爆發，從歐洲回國，被十七省代表推舉為中華民國臨時大總統。1912 年辭職。1913 年發動討伐袁世凱的二次革命。1921 年就任非常大總統。1924 年在廣州主持召開中國國民黨第一次全國代表大會，把舊三民主義發展為新三民主義。在黃埔創辦陸軍軍官軍校，培養革命軍事幹部。1925 年在北京病逝。

梁啟超
（1873—1929）

廣東新會人。光緒十六年（1890）師從康有為。二十一年（1895）進京參加會試，隨康有為發動「公車上書」。後辦報撰文，大力宣傳維新變法理論，成為康有為的得力助手，時人合稱「康梁」。二十三年（1897）任長沙時務學堂中文總教習。次年入京，以六品銜專辦京師大學堂譯書局。戊戌政變後逃亡日本，創辦報刊，宣傳改良、主張保皇。1913 年初回國，出任司法總長，後任段祺瑞內閣財政總長。曾倡導文體改良的「詩界革命」和「小說界革命」，開白話文風氣之先。晚年在清華學校講學。博學多識，勤於著述，有《飲冰室合集》。

黃興
（1874—1916）

湖南善化人。光緒二十八年（1902）留學日本，次年回國，與宋教仁等人成立華興會，被推舉為會長。三十年（1904）準備發動長沙起義，事洩逃亡日本。次年與孫中山共同成立中國同盟會，任執行部庶務，居協理地位。

後參與或指揮防城之役、鎮南關之役、欽廉上思之役、雲南河口之役和廣州新軍之役。宣統三年（1911）發動廣州黃花崗起義，失敗後前往香港。武昌起義爆發後，趕赴武昌，任戰時民軍總司令，率領民軍與清軍奮戰。1912年南京臨時政府成立，任陸軍總長兼參謀總長。次年，二次革命爆發，任江蘇討袁軍總司令。1916年在上海病故。

清

參考書目

01　萬國鼎:《中國歷史紀年表》,商務印書館 1956 年版。

02　白壽彝總主編:《中國通史》,上海人民出版社 1979—1999 年版。

03　中國大百科全書編委會:《中國大百科全書·歷史學卷》,中國大百科全書出版社 1990 年版。

04　中國大百科全書編委會:《中國大百科全書·中國歷史卷》,中國大百科全書出版社 1992 年版。

05　張政烺、呂宗力主編:《中國歷代官制大辭典》,北京出版社 1994 年版。

06　《中國少數民族史大辭典》編委會編:《中國少數民族史大辭典》,吉林教育出版社 1995 年版。

07　中國歷史大辭典編委會:《中國歷史大辭典》,上海辭書出版社 2000 年版。

08　翦伯贊主編:《中外歷史年表》(校訂本),中華書局 2008 年版。

09　中國社會科學院歷史研究所《簡明中國歷史讀本》編寫組:《簡明中國歷史讀本》,中國社會科學出版社 2012 年版。

10　林甘泉、寧可、方行等:《中國經濟通史》,經濟日報出版社 1999—2000 年版。

11　白鋼主編:《中國政治制度通史》,人民出版社 1996 年版。

12　中華文化通志編委會編:《中華文化通志》,上海人民出版社 1998 年版。

13　袁行霈、嚴文明等主編:《中華文明史》,北京大學出版社 2006 年版。

14　中國社會科學院考古研究所編著:《中國考古學·新石器時代卷》,中國社會科學出版社 2010 年版。

15　徐旭生:《中國古史的傳說時代》,科學出版社 1960 年版。

16　中國社會科學院考古研究所編著:《中國考古學·夏商卷》,中國社會科學出版社 2003 年版。

17　夏商周斷代工程專家組編:《夏商周斷代工程 1996—2000 年階段成果報告·簡本》,世界圖書出版公司 2000 年版。

18　沈長雲:《中國歷史·先秦卷》,人民出版社 2006 年版。

19　傅樂成主編、鄒紀萬著:《中國通史·秦漢卷》,九州出版社 2009 年版。

20　王仲犖:《魏晉南北朝史》,上海人民出版社 1979 年版。

21　王仲犖:《隋唐五代史》,上海人民出版社 2003 年版。

22　陳振:《宋史》,上海人民出版社 2003 年版。

23 漆俠：《宋學的發展和演變》，河北人民出版社 2002 年版。

24 李桂芝：《遼金簡史》，福建人民出版社 1996 年版。

25 史金波：《西夏社會》，上海人民出版社 2007 年版。

26 韓儒林主編：《元朝史》（上、下），人民出版社 2008 年版。

27 陳高華、張帆、劉曉：《元代文化史》，廣東教育出版社 2009 年版。

28 湯綱、南炳文：《明史》，上海人民出版社 2003 年版。

29 張顯清、林金樹主編：《明代政治史》，廣西師範大學出版社 2003 年版。

30 王戎笙主編：《清代全史》，遼寧人民出版社 1993 年版。

31 何齡修、張捷夫等：《清代人物傳稿》，中華書局 1986—1991 年版。

32 陳旭麓等主編：《中國近代史詞典》，上海辭書出版社 1982 年版。

33 張海鵬主編：《中國近代通史》，鳳凰出版傳媒集團·江蘇人民出版社 2006 年版。